絶叫学級

赤い断末魔 編

いしかわえみ・原作/絵
はのまきみ・著

集英社みらい文庫

絶叫学級

赤い断末魔編

111時間目
血ぬれた花嫁

プロローグ

みなさん、こんにちは。
絶叫学級へようこそ。
私の名前は黄泉。
恐怖の世界の案内人です。
猫のような金色の瞳と、
長い髪がチャームポイントの女の子です。
下半身がないように見えますか？
私は痛くも苦しくもないので、どうかお気づかいなく。
それでは、授業をはじめましょう！
今回は、指輪にまつわるお話です。

結婚式で、新郎と新婦が交換する結婚指輪。
大切なひととの愛を誓う、いわば「愛の証」です。
それが、思いがけない場所に落ちていたら、みなさんはどうしますか？
ひろって警察にとどける？
持ち主をさがす？
それとも――――。
指輪をひろったことから、少女の不幸がはじまります。
いったいどんな不幸なのでしょうね。

「わぁ……………。美晴姉ちゃん、きれい〜」

家入花は芝生の上を歩く花嫁を見て、目を輝かせた。

花嫁のウェディングドレスは、真っ白でふわふわ。まるでお姫様のようだ。

今日は花のイトコ、美晴の結婚式。

いつもはTシャツやパーカを着ている五年生の花も、今日はワンピースにオーガンジーのストールを巻いて、よそいきのオシャレをしていた。

(結婚式のお呼ばれなんて初めてだから緊張してたけど、おとぎ話のお城みたいな教会、おいしいジュース、きれいな服を着たひとたち……………結婚式っていいなあ♡)

五月の青い空に、フラワーシャワーでまいたピンク色の花びらが舞った。

みんなが祝福の拍手をする。

白いドレスの花嫁と、白いタキシードの花婿は、幸せそうにみつめあった。

ふたりの左手の薬指には、キラリと光る指輪。

その指輪をみつめているうちに、花も幸せな気持ちになって微笑んだ。

(私もいつかあんなふうに……………)

すてきな花婿さんと指輪の交換をする自分の姿を思いえがいて、花はうっとりした。

すると、式場スタッフがやってきて、庭にいるひとたちに声をかける。

「それではみなさま、披露宴会場のほうへ」

庭にいたみんなは、「きれいねー」「素晴らしい式ですね」と口々に言いながら、会場のある建物へむかって歩きだした。

花も母親のうしろをついていく。

すると、
コツン。

つまさきでなにかを蹴ったような気がして、足もとを見おろした。

「ん?」

芝生の上に、指輪のようなものがころがっている。

「あれ？」

かがんでつまんでみた。

(やっぱり、これ指輪だ)

よく見れば、指輪の表面には、小粒のダイヤモンドが三粒埋めこまれている。

(もしかして結婚指輪!?)

指輪をかたむけて内側を見ると、文字が彫られていた。

「『K&S』…………」

愛の証、結婚指輪。あこがれのアイテムが、こんなところに落ちているなんて。

花は、きょろきょろとまわりを見て、誰も気づいていないことをたしかめると、

「えいっ」

と、指輪を自分の左薬指にはめてみた。

「わぁ…………」

指輪は、花の指にぴったりおさまった。

太陽の光を受けて、ダイヤモンドがキラキラと輝く。

「へへ…………。私、花嫁さんみたい♡」

花がにっこりと笑ってそうつぶやいたとき、母親の声が聞こえてきた。

「花〜。早く行くわよ」

花はびくっと肩をすくめた。みつかったら、いつものように「またよけいなことして」と叱られそうだ。

「は、はぁい」

花はうわずった声で返事をした。

(はずさなきゃ！)

あわてて指輪をひき抜こうとするが、なぜかびくともしない。

「え!?」

何度も何度もグッと力を入れてひっぱった。でも、指輪はのりづけされたように、指からはなれない。

(抜けない!? うそ――っ!!)

披露宴会場の席についている間も、花はテーブルの下にこっそり手をかくして、指輪をひき抜こうとがんばった。

けれど、いっこうにはずれる気配はなかった。

そして家に帰るころもまだ、その指輪は花の指にはまったままだった。


その夜、花はビクビクしながら夕ごはんを食べた。両親になるべく指を見られないようにして。

(そういえば、石けんですべらせるとはずれるって、聞いたことある!)

夕食のあとに、お風呂場で指にボディーソープをつけてひき抜こうとしたが、何度やっても失敗。

がっかりしてお風呂場からでてくると、リビングのテーブルで母親と父親が話をしていた。

「ほんと、美晴ちゃん、きれいだったわー」

「式に行けなくて残念だったよ」

「いい式だったわよ〜」

花は部屋のすみでこっそり指輪をひっぱった。

（指輪の持ち主がさがしているかもしれないのに、このままとれなかったらどうしよう）

そう考えると、だらだらと冷や汗が流れる。

すると、異変に気づいたらしい母親が、花のほうを振りかえった。

「あんた、どうしたの？ さっきからだまって」

花はギクリとして、顔もむけずにこたえた。

「なんでもないっ！ 寝る!!」

指をかくしながら、花は自分の部屋へかけていった。

ベッドに入ってからも、不安でたまらない。

「どうしよう………」

不安のせいか、だんだん指がしめつけられているような気がしてきた。

「ママには言えやしないよ………」

きっと母親は「あんたはまた変なことして！」と怒るにちがいない。

花は涙目になり、枕につっぷした。

（どうにかしてはずさなくちゃ。どうにかして――）

そうしているうちに、花は夢のなかに落ちていった。


『………よ』


どこかから声が聞こえてくる。

どうやら結婚式の真っ最中のようだ。

花は、ウェディングドレスを着て、ベールをかぶり、手にかわいらしいブーケを持つ花嫁だった。花のとなりにいるのは、黒いモーニングを着た父親。

ふたりは腕を組んで、バージンロードをゆっくりと歩いている。

『………よ』

また声が聞こえた。

そこでやっと、花は自分が夢を見ていることに気づいた。

(…………ん？　なに……………夢…………？)
花と父親は、祭壇にむかってバージンロードを歩いていく。
祭壇の前には、白いタキシードを着て、アスコットタイをしめた花婿が立っていた。
花婿の体は見えるが、首から上は真っ暗なかげになっていて見えない。
『むかえに行くよ………』
今度ははっきりと聞こえた。
どうやら、花婿が言っているようだ。
(誰？)
花婿の顔を見ようとしたところで、花はぱちりと目を覚ました。
ふとんのなかから左手をだすと、まだ指輪ははまったまま。
「夢まで結婚式って…………どんだけ」
じっと指輪をみつめているうちに、さっき見た夢のシーンが浮かんできた。
「でも、花婿さんの声、けっこうカッコよかったな。顔は見えなかったけど」
祭壇の前に立っていた花婿。

やさしい声で、『むかえに行くよ』と言っていた。

その声を、うっとりと思いだした花は、はっと我にかえった。

「……って、ちがう!!　これをちゃんととってもらわなきゃ」

自分ではずせないとなると、きっと病院かどこかへ行くことになる。昨日はないしょにしていたが、ついに母親に指輪のことを打ちあけることにした。


「あのね………ママ………」

朝になり、花は、おそるおそる指輪のはまっている薬指を見せた。

「え!?　どーしたの、それ!?」

「ええっと………その………昨日、結婚式会場でひろっちゃって」

「ほんとにもーっ!　なにかかくしてると思ったら!」

「じつは、とれなくなっちゃったんだよね………」

母があきれてため息をつく。

(だから言いたくなかったんだよー)

花がしょんぼりしていると、母親は棚のひきだしから、休日診療所の診察券をとりだした。

「しょうがないわね。お医者さんがどうにかしてくれるわよ」

花は、母親といっしょに近所の休日診療所へ行った。

ところが、医者がひっぱってみても、指輪が抜ける気配はない。

「うーん。おかしいねぇ……………。指がむくんでるのか、ガッチリはまっちゃってますねえ」

医者は首をひねるばかり。しばらく花の指をたしかめたあと、

「消防署なら指輪を切る道具があるから、行ってみるといいですよ」

そう言った。

花と母親は、今度は近くの消防署に行ってみた。

若い消防署員は花の指を見るなり、自信たっぷりにうなずく。

「大丈夫ですよ。すぐにとれますからね」

消防署員は、リングカッターを持ってきて、指輪を切ろうとした。

しかし、リングカッターのネジをまわそうとしても、指輪がかたすぎるのか、まるで動かない。

「おかしいな。なんで切れないいんだ。この指輪、特別なモノで作られてますか？」

(そんなこと聞かれても、わかんないよ)

花は薬指で輝く指輪をみつめ、絶望的な気分になった。

母親がまゆをつりあげて怒りだす。

「ほんとにもーっ！　よけいなことばかりするんだから！」

結局、指輪は抜けないまま、ふたりは家に帰ってきた。

その夜も、花は不安な気持ちのままベッドに入った。

「うそみたい……なんで……」

こんなに指にぴったりはまってしまう指輪なんて、あるだろうか。

「どうしよう。一生はずれなくなっちゃったら」

花はこわくなり、左手をぐっとにぎりしめた。

三粒のダイヤモンドがはまった指輪を、上品でとても美しいと思っていたのに。いままでは、とてもおそろしいものに見えてきた。

(ううん、まさか。そんなことあるはずない。きっとはずれる。大丈夫………)

『むかえに行くよ………』

あの声がした。

バージンロードを歩く、花嫁とその父親。

花は花嫁だった。ウェディングドレスを着て、ベールをかぶり、かわいらしいブーケを持っている。

祭壇のほうを見ると、白いタキシードを着た花婿がいる。

花婿はきりりと背筋をのばして立っていた。

体は見えるが、首から上は真っ暗なかげになっていて見えない。

(あ、またこの夢)

でも。

（あれ？　昨日の夢より花婿に近づいてる………）

花が目をこらすと、さっきまでかげになっていた花婿の口もとが見えた。

花婿はやわらかく笑っている――。


そこで、花はぱちりと目を覚ました。

いつの間にか眠っていたのだ。カーテンの外から光が差しこみ、小鳥の鳴く声が聞こえてくる。もう朝だった。

花は体を起こして、指から抜けない指輪をみつめた。

「なんか、気持ち悪………」

背筋がぞくっとするような気持ち悪さが、花の体にまとわりついていた。

学校に行く前に、花は左手を包帯で巻いた。

指輪をしているのがバレたら、先生に没収されてしまうかもしれない。

(でも、はずせってはずれないし……)

だからその日は、朝からできるだけおとなしくすごした。

けれど、包帯をした手は逆に目立ち、一時間目が終わるころには、友だちに気づかれてしまった。

「あれ？　花、左手どうしたの？」

黒板を消していた花に、友だちが聞く。

「えーと、土曜日にケガしちゃって……」

「えー。大丈夫？」

「う、うん」

花は作り笑いを浮かべ、持っていた黒板消しをおいた。

そして、左手をかくすように、右手でおおう。

(指輪がとれるまで、ずっとケガしたふりしなくちゃいけないのか……)

気が重い。

(どうしてこんな指輪をはめちゃったんだろう)

そのとき、ふと考えついた。

(まさかだけど、夢にでてくる花婿さんて、この指輪の持ち主だったりして………)

花はぶるっと震えた。

そして、このおそろしい考えを追いだすように、頭を振った。


『むかえに行くよ………』


その日も花は夢を見た。

ウエディングドレス姿でバージンロードを歩く花は、もうすぐ祭壇にたどり着くところだった。

(また、この夢!!)

しかも、あきらかに昨日よりも花婿に近づいている。

あと二、三歩前にすすめば、花婿に手がとどきそうだった。

それでもやっぱり、花婿の顔はかげになっていて見えない。

（……………昨日より近づいてる……………なんで……………なんなの……………）

ブーケを持つ手が汗ばんだ。

（これは夢。早く夢から覚めなくちゃ）

こんなにおそろしい結婚式の夢は、もうたくさんだ。

花は、花婿に訴えた。

「私は…………あなたの花嫁じゃないよ…………」

思いきり叫んだつもりなのに、夢のなかにいるせいか、うまく声がだせない。

「あなたの花嫁じゃない」

心臓がバクバクと激しく打つ。

花は念じた。

（覚めろ!! 夢から覚めろ!!）

すると、耳もとで声がした。

『今度こそ、むかえに行くよ』

その声は、夢のなかではなく、ベッドで眠っている花のすぐ近くから聞こえてきた。
血のようなにおいもする――。

「…………………!!」

花は目を見開き、がばっと体を起こした。

呼吸が乱れ、背中が汗でぐっしょりぬれている。

ひとの気配がしたのに、ベッドのまわりには誰もいない。

部屋のなかは暗く、チッチッと時計の針が動く音だけが聞こえている。

夜中の一時半だった。

花は花婿の声を思いだし、がたがた震えながら両手で耳をふさいだ。


数日後、花は思いきってイトコの美晴に電話をかけた。

「もしもし。あ、美晴姉ちゃん!? 私っ、花だけど」

『あら、花ちゃん?』

美晴はのんびりとこたえた。

『先週は式に来てくれてありがとー』

幸せそうな美晴にこんな話をしていいのか、花は一瞬迷った。

(でもう、あんなこわい夢を見るのはいや)

なにか原因がわかれば、指輪も抜けるかもしれない。そうすれば夢も見なくなるかもしれなかった。

「あの………」

迷ったあと、花はきりだした。

「あのさ、いきなり変なこと聞くけど、あの式場で変なウワサとか聞かなかった?」

『ええ?』

「あ、ごめん。ちょっと気になって」

『あはは、どうしたのー』

美晴は笑ったあと、少し考えこんだ。

『うーん………。あっ、そういえば、スタッフのひとが話してたのを聞いただけなんだけど…………』

美晴がないしょ話をするように声を落とす。

『すごい昔、結婚式当日に花婿さんが事故で亡くなっちゃって…………花嫁さんもそのあとすぐ自殺しちゃったとか』

花婿は式場にむかう途中に交通事故にあったそうだ。

花嫁はウェディングドレスを着てベールをかぶり、花婿を待っていた。

事故のことを耳にした花嫁は、泣きながらかけだした。

そのまま、車の行きかう大通りに飛びこんでいき――――即死だった。

『…………あの式場の都市伝説みたいになってるっぽいよ』

花はごくりとつばをのんだ。

「そ、そのふたりって、イニシャル『K&S』？」

『え？　さあ。わかんないけど、美男美女のカップルだったみたいよ～』

美晴が明るく言う。

花の左薬指にはまった指輪が、にぶく光った。

まるで美晴の話に反応するかのようだった。

「あ、ありがとう……美晴姉ちゃん……」

花の声が震える。

『どうしたの？　大丈夫？』

「……うん。じゃあね」

花は電話をきり、指輪をみつめた。

(この指輪は、そのひとのだ)

花には、はっきりとわかった。

「私、花嫁にまちがわれてるんだ……!!」

全身にぞわっと鳥肌がたった。


美晴の話を聞いてから、花はなにをしていても、指輪のことが頭からはなれなくなってしまった。

夜は眠れない。眠ると、あの夢を見るからだ。

学校に行っても、包帯を巻いた左手が気になってイライラしてしまう。

(早く学校終われ。早くこの指輪を切ってもらうんだ)

その日も花は、朝からずっとふさぎこんでいた。

睡眠不足のせいで、目が血走っている。

(早く終われ。早く終われ……………)

午後のホームルームの時間になると、花はすぐに帰れるように、ランドセルを机の上においた。

(早く終われ……………)

足をカタカタとせわしなくゆする。

「ホームルームは以上です。それではさようなら」

担任の教師がそう言うやいなや、花はランドセルをつかんでガタッと席を立った。

そのときだった。

タタタターン

タタタターン
　タタタタン　タタタタン――――

どこかから音がして、花が立ちどまる。

(これって……結婚式で流れる曲……)

振りかえると、女子ふたりがおしゃべりをしているのが視界に入った。ひとりは携帯電話を持っている。

「着信音、変えた？」

「えへへ。ウェディングマーチ♡」

花は、楽しそうにそう話すふたりをにらみつける。

(いやな曲……)

ふたりに背中をむけ、ろうかにむかおうとすると、別の女子に声をかけられた。

「あれー。花、なんか今日の服、かわいいね」

「え……？」

「まるで花嫁さんみたい」

下をむいて、自分が着ている服をたしかめる。

「…………………!!」

花は思わずランドセルをどさりと床に落とした。

「え………どうして………?」

花は、着た覚えのない白いワンピースを身につけていた。

かわいらしいパフスリーブで、ウエストには大きなリボンがついている。

(私、こんなドレスみたいなワンピース、持ってたっけ?)

クラスメイトが言ったとおり、まるで花嫁のようだった。

「………あれ? 私、朝ぼーっと着替えて………」

今朝のことがうまく思いだせない。

「なんでこんな服………」

花の頭はくらくらして、足がもつれた。

倒れそうになった花を、クラスメイトがあわてて支える。

「どした、花？」

「具合悪い？」

花の体は、熱でもあるように震えていた。

目がかすんでぼうっとする。

すると、ちょうど通りかかった男性教師が、心配そうに教室に入ってきた。

「どうした、家入。保健室行くか？」

（保健室…………）

花はすがるように男性教師をみつめると、小さくうなずいた。

「歩けるか？」

花はうなずいたが、立っているのがやっとだ。

震えてよろけ、男性教師の腕につかまった。そのままろうかにでていく。

（早く…………早く着替えなきゃ…………）

下校時間のろうかは、子どもたちでいっぱいだった。

そのなかを歩いていると、なぜかみんながろうかの両わきにサッとよけていく。

花と男性教師は、みんなにみつめられながら、ろうかの真ん中を並んで歩いた。

これに似たシーンを、花はよく知っている。

（え………ちょっと待って………。これ、まるで――）

バージンロードを歩く、娘と父親。

両わきにいるみんなの姿が、花嫁を祝福するゲストのように見えた。

「ちがう!!　私は花嫁じゃない!!」

花は男性教師の腕をはなすと、突然走りだした。

「家入!?」

おどろいて呼びとめる教師を無視して、花は保健室にむかう。

「いやだ………いやだっ！　誰か助けてっ!!」

花は保健室の扉を開けて飛びこみ、なにかをさがしはじめた。

（なにもかも、この指輪のせいだ!!）

パニックになりながら左手の包帯をはずし、保健室の棚のひきだしを開けていく。

なにか道具がほしかった。カッターとか、ハサミとか、ナイフとか、とにかく指輪を壊すための道具が――――。

やがて大きなハサミを発見すると、それを右手につかんだ。

「は――――、は――――」

花は荒い呼吸をくりかえして、床にぺたんと座り、左手を床にひろげる。

こうなったらもう、指ごと切りおとしてしまってもかまわない。

花には、指輪をはずす以外のことが考えられなくなっていた。もうあの夢を見るのはいやだ。こんなこわい思いをするのはいや。私はちがう……私はちがう……。

「は――――、は――――」

恐怖でつりあがった花の目に、涙がたまる。

そして、にぎったハサミを振りあげると、大声で叫んだ。

「私は花嫁なんかじゃないっ!!」

ハサミを左手に振りおろそうとした瞬間だった。

薬指にはまった指輪が、スルッと動いた。

誰かの見えない手が、指輪をひき抜いたように見えた。

指輪は指からはずれ、床の上でカラカラと回転する。

――カツン。

やがて回転がとまると、指輪の内側に「K&S」のイニシャルが見えた。

「……とれた」

力が抜けてしまった花は、ハサミを床に落とした。

ほっとしたせいか、涙があふれてくる。

「助かった――」

花がうつむいて泣いていると、床の上を、誰かの手がそっとのびてきた。

その手が、落ちている指輪をつまむ。

(えっ？　誰？)

おどろいた花が涙をぬぐう。

すると目の前に、見覚えのある白いタキシードの脚と、白い革靴が見えた。

「自分ではめさせて、ごめん」

この声。
夢にでてくる花婿の声だ。
男が花の前にしゃがんだ。
花婿の白い革靴に、赤黒い液体がぽたりと落ちる。
（…………血!?）
花はおそるおそる視線をあげていく。
白いタキシードの花婿は、指輪をつまんで微笑んでいた。
ただ、花婿の顔は、半分えぐれてなくなっていた。
割れた頭蓋骨から、真っ赤な脳みそがのぞいている。
そこからどろどろと血が流れおち、白いシャツとアスコットタイを赤く染めていた。
男は残っている片方の目で、花をやさしくみつめた。
「僕がはめなおしてあげるよ」
「…………………!!」

頭のえぐれた花婿が、花の手をとって立ちあがらせる。

花は、恐怖でぶるぶる震えていた。

その左薬指に、花婿があの指輪をするっととおした。

（……うそ、やめて……やっとはずれたのに）

あんなに苦労してようやくはずしたのに、花の薬指に、またこの気持ち悪い指輪がはまってしまった。

半分しか顔のない花婿が、花に笑いかける。

「あ、わ……私は……ちがう……」

必死にそう訴えたが、花の体は金しばりにあったように動かなかった。

花は泣きながら、瞳だけ動かしてあたりを見まわした。

さっきまで保健室だったその部屋は、いつのまにか教会に変わっていた。

やがて、教会に神父の声がひびいた。

「それではおふたり、誓いのキスを――」

「ちがう……私は……やだ……やだ……」

キャアァァァァァ――――。
それきり、花の姿を見た者はいなかった。

そのころ、別の場所では――――。

とある中学校の昇降口で、学ランを着た男子生徒が靴ひもを結んでいた。

ふと床を見ると、なにか光るものがころがっている。

「ん？」

ひろってみると、それは指輪だった。

「なんだ、この指輪……………」

よく見れば、指輪の表面には小粒のダイヤモンドが三粒埋めこまれている。

内側には、文字が彫られていた。

「『K&S』…………イニシャルか？」

そう、結婚指輪というものは、かならずふたつある。

もうひとつの指輪は、ここにあった。

はめる相手を求めて。
血まみれの花嫁が、男子生徒のうしろに立ち、白い手をのばしていた。
男子生徒は、そのことにまだ気づいていない。

エピローグ

百十一時間目の授業は、これでおしまいです。

指輪をもらうということは、誰にとっても特別なことです。

特に結婚指輪。

つなぎめのないリングは「永遠の愛」を意味しているそうです。

結婚式の直前に死んでしまったふたりは、指輪の交換ができませんでした。

だから、死んでからもさがしているのでしょうね。

指輪をはめる相手を。

それが、まちがった相手だということも知らずに。

少女は、軽い気持ちで指輪をはめてしまったために、「花婿」と永遠の愛を結んでしまいました。

そして、少年も指輪をみつけたようです。
軽い気持ちで指輪をはめなければいいのですが……………。
みなさんも、指輪には気をつけてくださいね。
好きなひと以外からもらっても、軽い気持ちではめてはいけませんよ。

112時間目

赤い風船

プロローグ

こんにちは。

休み時間はもう終わりです。

それでは、百十二時間目の授業をはじめましょう。

みなさんは、テーマパークはお好きですか？

ふふ……私は大好きです。

スリル満点のコースター、ぐるぐるまわるライド、おばけ屋敷、水しぶきをあげるスライダー、そしてはなやかなショー。

パークでしか食べられないスイーツを食べたり、ショップでキャラクターグッズを買っ

たり。
テーマパークは楽しさでいっぱい。
家族といっしょでも、友だちや恋人といっしょでも、ワクワクした時間をすごせます。
退屈な毎日を忘れ、たまにはみんなでパーッと遊びたいですよね。
でも、そんな楽しい場所にもこわい話はつきものです。
今回登場するテーマパークには、どんな恐怖が待っているのでしょう？
それでは、いっしょにでかけてみましょうか。

遊花と夢、リョーコの三人にとって、待ちにまった日がやってきた。

「ついに来たね」

と、長いツインテールをゆらしながら、遊花が言う。

夢とリョーコは、ニッと笑ってうなずいた。

「「「ファンタジーパーク!!」」」

テンションのあがった三人が、声をそろえてジャンプすると、チェックのスカートがふわりとふくらんだ。

遊花たちは中学一年生。今日は休日だけれど、制服で遊びにきていた。

ロングヘアの夢、ショートボブのリョーコ。三人とも髪型や制服の着こなしがそれぞれちがうが、小学生のころからずっと仲良しだった。

「あ！　いまのも写真撮ればよかったな～。もう一回こっちに寄って！」

遊花が自撮り棒にスマートフォンをセットすると、三人は体を寄せあった。

「撮るよー！」

遊花、夢、リョーコは仲良くみんなでピースサインを作り、にっこり笑って写真におさまる。

「それにしてもチケット売り場、すごい列だったね」

夢がそう言うと、リョーコが得意げな顔をする。

「そりゃねー。大人気パークだもん」

「なんでリョーコがドヤ顔すんのよ」

ふたりの前をウキウキと歩いていた遊花が、突然立ちどまった。

「夢、リョーコ。うちら、やっと今日から自由の身だよ」

「どしたの、遊花」

「テストが終わっただけでしょーが。おおげさ」

「だってー、テストきらいなんだもん」

遊花がすねると、みんなが笑った。

リョーコが言うとおり、一学期の中間テストが終わっただけだから、「自由の身」はちょっとおおげさだ。けれど、三人は解放感からすっかり気が大きくなっていた。

特に、この日を楽しみにしていた遊花は、元気いっぱい。

「よしっ！　今日は遊びまくろー!!」

こぶしをつきあげて、ずんずん歩きだした。

広いパーク内には、色とりどりにカラーリングされたアトラクションがならび、スピーカーからは陽気な音楽が聞こえてくる。

ショップには、ぬいぐるみやカチューシャなどのかわいいグッズがあふれていた。

それに、屋台からは、おいしそうなポップコーンの香りが――。

ただ、パーク内はとても混んでいた。どのアトラクションも長い待機列ができている。

なかでも、コースターにのって夢の世界を走る「バルーンコースター」は「待ち時間四十分」という表示がでていた。

「これ、一番のりたいやつなんだよね」

「だいぶ待つけど、どーする？」

三人は、うーんとうなりながら待機列をみやった。

「とりあえず、並んじゃお！」

遊花が言うと、ふたりもぱっと顔を輝かせた。

「そうだよね！　そうしよ！」

「考えててもしょうがないしね！」

遊花たちは待機列に並んで順番を待ち、少しずつ少しずつ前にすすんでいった。その間ずっと、にぎやかにおしゃべりしていた。

「遊花、昨日、家に帰るの遅かったんだって？」

「うん。夜十一時に家についてー、ママ超怒ってんの」

「アッハハ、サイアク〜！」

「しゃーないよ。恋バナでもりあがってたしー」

列にいるひとたちは、意外とおとなしく並んでいる。だから遊花たちの大きな話し声が、あたりにひびきわたって目立っていた。

「ポップコーンめっちゃいいにおいしてるー」

「食べたーい。いま誰か行って、三人分買ってこない？」

「いま？　あとでいいじゃん。『あとにしなさいよっ、おまえらっ』」

リョーコが担任の先生の真似をしたので、三人は爆笑した。

「ギャハハハ!!」

「もー、ちょっとやめて！　笑わせないで！」

「笑いすぎておなか痛い！」

大笑いしているうちに、遊花たちの順番がまわってきた。

「お、もうつぎか！　話してたらすぐだねー」

と、遊花が首をのばして乗り場のほうを見る。リョーコがうなずいた。

「ほんと、あっという間だったね」

三人はわいわい騒ぎながら、到着したコースターにのりこむ。ちょうど真ん中あたりの車両だった。前にもうしろにも、ほかのお客さんがのっている。

「前にここに来たの、いつだっけ」

「六年生の夏休み？」

「っていうことは、一年ちょっとぶり！」

乗り場には、楽しげな音楽とアナウンスが流れていた。

『バルーンコースターへようこそ。ここではみなさんを、バルーンと森の動物たちの、メルヘンな世界へご案内します』

遊花たちは、シートベルトをしめて出発の準備をした。

アトラクションの女性スタッフが、コースターにむかい、笑顔で手を振る。

「それでは、いってらっしゃーい」

遊花の胸がドキドキと高鳴った。

コースターが動きだし、建物のなかに入っていく。

「わぁ……………」

そこはまさしく、メルヘンの世界だった。

ピンク、青、黄色、緑、白、紫――色とりどりの風船がふわふわ空中に浮かんでいる。まるいもの、ハート形のものなど、形も大きさもさまざまな風船であふれかえっていて、まるで風船の森に迷いこんだようだった。

その森を、キラキラと照らすライト。

ぴょこぴょこかわいらしく動く、ウサギやリスの人形。

幻想的に空中を泳ぐ、魚の模型。

ゆったりとすすんでいくコースター――。

(子どものころに来たときと、ぜんぜん変わってない。このワクワク感!)

遊花は、それこそ子どものようにキャーキャー大騒ぎした。

コースターは途中で、少しだけ激しく上下するところがある。

「テンションあがるーっ!!」

遊花は両手をあげて「ギャーッ!!」と叫んだ。

「やっぱーっ! 楽しーっ!」

すると、うしろのシートから声が聞こえた。

「あの……すみません。さっきからうるさいんですけど………」

「え、私?」

振りかえると、うしろには若いカップルが座っていた。
ふたりが迷惑そうに顔をしかめるので、遊花はきょとんとした。
(うるさいって、うちら？)
じっとみつめていると、カップルは気まずくなったのか、視線をそらした。
遊花の前のシートに座っていた夢が、振りむいて言う。
「遊花、ムシムシ。叫んじゃダメなんて言われてないんだから」
「……………だよね！」
遊花はにっこり笑った。
そうだ。叫んじゃダメなんていう注意書きは、パークのどこにもない。
文句をつけたいひとは、どこにでもいるものだ。
(相手にしないいしない。楽しまなきゃ損だよね！)
そう思いなおして、遊花は上を見あげた。
数えきれないほどの風船が遊花の頭の上に浮かんでいる。
そのなかに、ひときわ小さくていびつな、赤い風船があった。

（変な形。しぼみはじめてるのかな………）

遊花がぼんやりとそう思ったとき、夢とリョーコの声が耳に飛びこんできた。

「あーん。もうすぐ出口だよ～」

「もう一周したいくらいだよねー。ね、遊花？」

「えっ？　そ、そうだね！」

遊花が再び見あげたときには、もうあの小さくていびつな風船は見えなくなっていた。


それから三人は、キャラクターの耳つきカチューシャを頭につけ、ステージのショーを楽しんで、次々とアトラクションをまわった。

「ふー。けっこうのったね」

夢がそう言うと、リョーコがアイスクリームの屋台を指さす。

「そろそろ休憩しよーよ。アイス食べよ」

「いいね！　私、トリプルにしよっと」

遊花が屋台にかけていくと、ほかのふたりも走りだした。

それぞれ思いおもいのアイスクリームを買って、ベンチに座る。

時刻は六時すぎ。パークは夜の七時までオープンしているから、もう少し遊ぶ時間がある。

「ストロベリーフレーバー、おいしーっ」

「えー。ひと口ちょうだい」

「こっちの、マシュマロが入ってるのもおいしいよ。食べてみ」

三人は、アイスクリームをすくいあって食べた。

「写真撮ろ！」

「うん！」

遊花がスマートフォンをつけた自撮り棒を持って、少し高い位置にかかげる。

「レンズ見てー」

三人は体を寄せあうと、スマートフォンのレンズをみつめて、ピースサインを作った。

「いえー――い」

「オッケー」

遊花が自撮り棒からスマートフォンをはずすと、

「今日のほかの写真も見せて」

「私も見たい！」

そう言って、夢とリョーコが遊花のスマートフォンをのぞきこんだ。

「これが今日の一枚目」

遊花は、パークに到着したときの写真を表示させた。

それから、ショーのキャストといっしょに撮った写真。

アトラクションの待機列に並んでいる間にキメ顔で撮った写真。

ぐるぐる回転するライドから降りたときの遊花の写真は、半目の変顔になっていた。

「ぷっ。遊花の顔、ウケる」

「この半目、やばいよね」

最近パークに登場したばかりの着ぐるみキャラといっしょに撮った写真もある。

「このキャラかわいー」

「ネコっぽいけど、ネコなのかな？」

「謎の動物だって、パークのホームページに書いてあったよ」

「謎の動物って、なにそれ～！」

三人で爆笑していたそのときだった。

「あれ？」

遊花が、半目に写ってしまった写真を表示させ、指でなぞって拡大した。

「どした？」

と夢が聞く。

「いやー………。この子、よく見るなって」

写真に写っている遊花のずっとうしろに、小さな女の子が立っていた。

つばのついた柄ものの帽子を深くかぶり、帽子と同じような柄の長袖ワンピースを着ている。

肩までのばした髪と帽子のせいで、顔はよく見えない。

でも、帽子とワンピースがうす汚れていることは、なんとなくわかった。

リョーコが不審そうな声をあげる。

「よく見るって、どういうこと？」

「ほら、これ」

遊花が画面をスクロールして、着ぐるみといっしょに撮った写真を表示させた。

「………あ、この子？」

リョーコが指さした場所に、同じ女の子が写っていた。

この写真のなかでも、やっぱり遊花たちのずっとうしろで、ひとにまぎれるようにして立っている。

夢がスマートフォンに顔を近づける。

「本当だ。ほかのにも写ってる」

夢とリョーコが、ジュースを飲みながらおしゃべりしている写真にも。

遊花が噴水の近くで気どったポーズをしている写真にも。

どの写真にも、帽子をかぶった女の子は写っていた。

遊花は気味が悪くなったが、リョーコはあまり気にしていないようだった。

「まわるコースが同じなんじゃーん？」

そう言って、空になったアイスクリームのカップをゴミ箱にすてた。

「そうか」

と、うなずいたものの、遊花はまだ気持ちが悪かった。

(………でも、なんでいつもこっちをむいてるんだろ)

写真のなかの女の子は、かならず正面をむいている。

両腕を体のわきにおろして、きをつけをするように立っている。

まるで、遠くからじっとカメラのレンズをにらんでいるかのようだった。

「この写真も、この写真もこっちむいてる……」

遊花はぶつぶつとつぶやきながら、スマートフォンの画像をスクロールしていった。

そして、ついさっき撮ったばかりの写真を表示させたときだった。

「えっ!?」

遊花たちは息をのんだ。

笑顔で写る三人のすぐうしろに、あの女の子がいたのだ。

遊花たちから一メートルもはなれていない。

帽子の女の子は、やはり正面をむいて立っていた。

帽子とワンピースは土にまみれたように汚れていて、ところどころ布がほつれている。

髪と帽子にかくれた顔は、血の気がなく真っ青だった。

「…………え!?」

三人はぱっと顔をあげて、あたりを見まわす。

この写真を撮ったのはほんの数分前。女の子は、まだこの近くにいるかもしれなかった。

しかし、三人の目に入ったのは、パークで楽しげに遊んでいるひとたちばかりで、奇妙な女の子の姿はない。

「なにこれ…………意味わかんない」

さっきまで平気そうな顔をしていたリョーコが、もう一度写真に目を落として、そう言った。

「気持ちわる…………」

と、夢がつぶやいたそのとき、「キャアアア」とすさまじい叫び声が聞こえてきた。

三人が振りかえると、少しはなれた場所にひとだかりができている。

その輪の中心で、男が大声で叫んでいた。その横にいる女は、目に涙をためている。

「なにごと？」

遊花が目をこらして指さす。

「あ。あれ、さっきのカップルじゃん？」

バルーンコースターで、遊花のうしろのシートに座っていたカップルだった。

「はあ？　あいつらのほうがうるさいじゃん」

と、夢があきれて鼻で笑った。

「うちらに、うるさいって文句言ったくせにね」

「あのひと、なに叫んでるんだろ」

三人は、あっけにとられながら、カップルをみやった。

男は誰かれかまわず聞きまわっていた。

「教えてくれ!!」

男が目をつりあげる。

いっしょにいる女は、不安そうに男の腕をつかみ、涙目になってガタガタ震えている。

「誰か、どこにあるか知らないか!?」

まわりのひとたちは、迷惑そうにあとずさったり、苦笑いを浮かべたりしている。それでも男はわめきつづけていた。

「帽子をかぶった女の子が、赤い風船をみつけてくれって!」

男の言葉を聞いて、遊花たちは頬をひきつらせた。

「なにあれ」

「帽子をかぶった女の子って……」

遊花がはっと気づいて、持っていたスマートフォンに視線をおとす。

遊花たちの写真に写っていた女の子も、帽子をかぶっていたのだ。

(まさか、あのひとが言ってるのって、この子のこと……?)

すると、夢が首を横に振った。

「ちょ、やめてよ、遊花。ないない」

リョーコははげますように、ふたりの肩に手をのせた。

「もー。気分変えよーよ。トイレ行こっ!」

「そうだね」

「私、リップ塗りなおしたい！」

遊花たちは、気をとりなおしてトイレにむかった。

あのひとだかりからはなれてしまえば、パーク内はふだんと同じように、楽しく陽気な雰囲気にあふれていた。

スピーカーから心地よい音楽が流れ、あたりを歩くひとたちは笑顔だ。

三人はトイレの個室に入り、一番にでてきたのは遊花だった。

洗面台で手を洗って顔をあげると、鏡に映った自分は、不安そうな表情を浮かべていた。

(気持ち悪いな……………)

トイレの建物内は寒いくらいにひんやりとしている。

遊花はぶるっと身震いした。

(せっかく楽しい気分だったのに)

あのカップルのせいで、すっかりテンションがさがってしまった。

遊花は鏡にくるりと背をむけて、スマートフォンをとりだした。

今日撮った写真をもう一度見ていくと、やはりどの写真にも帽子をかぶった女の子が写っている。

（そういえばさっきあの男が『みつけて』って言ってたけど、なにをだっけ……）

さっき聞いたばかりなのに、なぜだか思いだせない。

遊花が顔をしかめ、写真をスクロールしようとしたそのときだった。

「私の赤い風船をみつけて」

遊花のすぐうしろから、しわがれた声がした。

うしろを振りかえった遊花ののどがひきつった。

「…………!!」

鏡のなかで、帽子をかぶった女の子がこちらをむいていたのだ。

女の子は青白い顔をしていた。

ぱくっと開いた口のなかに、小さな乳歯がぎっしりと並んで——どう数えても、ふつうより歯の数が多い。

それに、細かい星のもようがちった帽子とワンピースは、よく見ればあちこちに黒いシミがついていた。

(もしかして、血!?)

あせった遊花の手から、スマートフォンがすべりおちる。

カシャン!!

スマートフォンは大きな音をたてて床にあたり、画面のガラスにひびが入った。

そのとたん、女の子の姿はスッと消えてしまった。

「え!? ……………え!?」

いまはもう鏡に映っているのは、遊花の姿だけだ。

血の気がひき、唇を真っ青にした遊花だけ――――。

「おまたせ~」

夢とリョーコが個室からでてきて、洗面台で手を洗う。やがて、遊花の様子がおかしいことに気づいた。

「どしたの？　顔色悪いよ」

「スマホ落ちてるじゃん！」

遊花は鏡のほうをむいて、ハァハァと肩で呼吸をしている。

「い、いま………そこに女の子が………」

「はあ？」

と、リョーコが落ちているスマートフォンをひろい、遊花に手わたした。

「あーあ、スマホ割れちゃって――」

「かっ、鏡のなかに女の子がいて、『私の赤い風船をみつけて』って！」

遊花がかすれた声でそう言うと、ふたりはきょとんとした。

「女の子？　赤い風船をみつけて？」

「あ………はは。なにそれ」

笑ってみたものの、ふたりもだんだんと気味が悪くなってきた。

「本当だってば！　さっきそこにいたんだよ!!」

遊花は鏡を指さした。

(小さい女の子だった。服もボロボロで、青白い肌で………)

女の子の姿を思いだして、遊花はぞっとした。

子どもなのに不自然にしわがれた声が、まだ耳に残っていた。

口のなかに並んでいた小さな乳歯まで、まざまざと思いだせる。

すると、夢がぽつりと言った。

「今日、もう帰る?」

「そうだね。よくわかんないけど、気持ち悪いし」

と、リョーコもそう言って、不気味そうにあたりを見まわした。

「うん………」

三人は、重い足どりでトイレの建物からでていった。

ふと遊花が空を見あげると、ピンク色の風船がひとつ、ぽつんと飛んでいる。

(風船だ………)

風船はみるみるうちに高くまであがり、遠ざかっていく。

「あれ、カップル男じゃない?」

と夢が言い、遊花とリョーコはそちらに目をむけた。

ひとだかりのなかで叫んでいた男が、今度はぶつぶつとひとり言を言いながら、空に手をのばしている。

「まだいたのか………」

「なんで、ひとりなんだろ？」

「ほんとだ。カノジョはどこ行ったのかな」

さっきまでいっしょにいた女の姿がない。

男のつぶやき声は、遊花たちのいるあたりまでとどいた。

「なんで、誰も見えないんだ。あれはユリエなのに………」

男は、血走った目でピンク色の風船を見あげ、手をのばしていた。

その指はカタカタと細かく震えている。

（ユリエって………あのカノジョのこと？）

遊花がそう思っていると、男は低い声でつぶやいた。

「おまえを外にだす前にみつけていれば、こんなことには………」

「なに言ってんの、あいつ」

リョーコがあぜんとしている。

「あのひと、さっき赤い風船がどーのこーのって言ってたじゃん？　聞いてみようよ」

夢は男に近づいていった。

「ねぇ!!　ちょっと聞きたいんだけど」

声をかけられた男は、「ひぃ…………」と身をすくめて、おびえたように走りだした。

「え？　なんで逃げるの？」

足の速い夢を先頭に、三人は逃げる男を追いかけていく。

「ちょ、待ってよ」

「逃げんなー」

男は遊花たちを無視して、パークの出口ゲートにむかって走っていく。

ところが、ゲートの直前まで走ったところで、突然、夢が立ちどまった。

遊花とリョーコが、いきおいあまって夢の背中にぶつかる。

「ちょっと、なに――――」

遊花が、ぶつけた頭を押さえると、

「あ、あれ見て………」

夢はあんぐりと口を開けて、宙を見あげていた。

同じように上を見あげた遊花とリョーコは、言葉を失った。

あの男が浮いていたのだ。

恐怖にカッと目を見開き、手足に力が入らないのか、ぶらんとだらしなくたらしている。

男の体は、すーっと上にあがっていき、それを見た小さな子どもが指をさした。

「わー、大きい風船」

男の子と手をつないでいた母親も、空を見あげて微笑む。

「本当だ。ずいぶん大きい風船が飛んでるわね」

遊花の背中を、冷たい汗が流れた。

(は!? なに言ってんの? あれは………)

あれは風船ではなく、人間だ。

もしかしてこの親子には、飛び去っていく男が、風船に見えているのだろうか。

男の目は落ちくぼみ、涙が浮かんでいた。

遊花たちをみつめると、下にむかって必死に腕をのばして叫んだ。

「そこからでるな！　でたら――」

男の体は、上空へどんどんあがっていき、声も小さくなっていく。

親子づれが男にむかって手を振った。

「風船さん、ばいばーい」

（なに言ってるの？　あれは風船なんかじゃ……）

そのとき、ゲートにいたパークのスタッフが、笑顔で声をかけてきた。

「お客さま、でられますか？」

三人は震えながら顔を見あわせた。

「ねえ、もしかしてあのスタッフにも、あいつが風船に見えてるのかな？」

夢が消えそうな声でそう言った。

「ううん。逆だと思う。あれが人間に見えてるのは、たぶんうちらだけ」

とリョーコががっくりと肩を落とした。

遊花がぎゅっとこぶしをにぎりしめる。

「…………なんで？　あの帽子の女の子が、うちらの写真に写ったから？　どうしてうちらだけ…………」

なにも知らないパークのスタッフは、まだ笑みを浮かべている。

「どうされます？」

三人はこわばった表情でこたえた。

「…………いいえ、まだでません」

遊花の耳に、あの帽子の女の子の声がよみがえる。

『私の赤い風船をみつけて』

きっとあのカップルも、帽子の女の子に言われて、赤い風船をさがしていたのだろう。

でもみつけることができなかった。だから風船にされて――。

(みつけずにでたら、私たちもあんなふうになるってこと!?)

「……みつけないと」

遊花がつぶやくと、夢とリョーコがうなずいた。

「私、風船になりたくないよ」

「私もいや！　絶対にいや！」

閉園時間は七時。あと三十分ほどしかない。

「手わけしよう」

遊花の意見に、ふたりは賛成した。パークの地図をだし、みんなでのぞきこむ。

「夢は噴水から東側の、このあたり」

「うん」

「リョーコは西側のこのへん。私は南側。これならみんな同じくらいの広さでしょ」

「そうだね。スマホで連絡とりあおう！」

「うん！　じゃあ行こう！」

三人は、それぞれ割りふられた場所へちっていった。

遊花は息をきらしながら、必死に走りまわった。

アトラクションの屋根にひっかかっているかもしれない。

木の枝にひもがからみついているかも。

ゴミ箱にすてられているかも。

芝生の上に落ちているかも――――。

とおりすぎるひとたちはみんな、楽しそうにパークを満喫していた。カップルが「手、つなごうよ」なんて話している声も聞こえてくる。

そんななか、遊花はわき目も振らずに走り、赤い風船をさがしつづけた。

（楽しんでるヒマなんてない。あんなふうになりたくない‼）

しかし、二十分以上たっても、風船はみつからなかった。

あせって涙がにじんでくる。

あきらめかけたとき、スマートフォンが鳴り、遊花はあわてて通話ボタンをタップした。

『みつけた？』

リョーコだった。

「ぜんぜん。どこにあるかなんて、わかんないよ」

『夢に電話したら、やっぱりみつからないって……』

こんなにさがしているのにみつからないなんて。

絶望感でいっぱいになった遊花がふと顔をあげると、バルーンコースターの建物が視界に入った。

(最初にのったやつ。あのなか、まださがしてないかも)

「リョーコ、すぐにバルーンコースターのところに来て！」

『えっ？』

「夢にも電話しとくから！」

『うん……わ、わかった』

それから間もなく、夢とリョーコは遊花のいる場所にやってきた。

「ここをまださがしてなかったこと、思いだしたの」

遊花がそう言うと、ふたりはバルーンコースターの建物に目をむけた。

建物の入り口は暗く、まるでぽっかり開いた口のようだった。数時間前には長い待機列ができていたが、いまは誰も並んでいない。

「もうガラガラだね」

リョーコが不安そうな声で言った。

「そろそろ閉園の時間だからね」

夢がごくりとつばをのんだ。

三人はゆっくりと建物に入っていく。

『バルーンコースターへようこそ。ここではみなさんを、バルーンと森の動物たちの、メルヘンな世界へご案内します』

楽しげな音楽とアナウンスが流れている。

乗り場のレールの上に、からっぽのコースターが停まっていた。

三人はそれにのり、シートベルトをしめる。ほかに誰もいないから貸しきり状態だ。

アトラクションの女性スタッフが、遊花たちに笑顔で手を振った。

「それでは、いってらっしゃーい」

その高い声が三人の不安をあおる。

コースターが動きだし、コースのなかに入っていった。

アトラクション内には、色とりどりのバルーンが浮かび、メルヘンの世界がひろがっていた。でも、三人は悪夢でも見ているかのように青ざめていた。

「パークが閉まったら、うちら、どうなるのかなぁ……」

遊花がつぶやくと、入り口の近くにいたウサギの人形が元気にしゃべりだした。

『みんな、よく来たね。これからステキなショーがはじまるよ』

三人の耳には、ウサギの陽気な声など聞こえていなかった。アトラクションを楽しむよゆうなんてない。

リョーコが、夢と遊花を交互にみやる。

「あのさ、さっき調べたんだけど、ファンタジーパークって、前からちょっと変なウワサがあるみたい」

「変なウワサって？」

遊花が聞くと、リョーコはスマートフォンをふたりに見せた。

そこには「恐怖！　テーマパークのウワサ」というタイトルのページが表示されていた。

「あのね、女の子がパーク内で事故で死んじゃったらしいんだけど……直前まで、なにかさがしまわってたんだって」

　すると、夢が泣きそうな声をあげた。

「まさかそれ、うちらがみつけようとしてる………」

　三人は言葉をのんだ。

　これは事故で死んだ女の子の呪いなのだろうか。

　そうだとしても、なぜ遊花たちやあのカップルが呪われなければならないのだろう。女の子の気にさわるようなことはしていない。ただパークで遊んでいただけだ。

　夢とリョーコの目に涙がたまっていく。

「どうして？　なんでうちらがこんな目に………」

「楽しく遊んでただけなのに………もうやだ………」

　遊花も泣きだしそうだった。涙がこぼれないように奥歯をかみしめる。

「あきらめちゃダメだよ」

　勇気を振りしぼって、大きな声で言った。

「三人で絶対に帰ろう………!!」

三人は顔を見あわせ、力強くうなずく。

「うん！」

「帰ろうね」

「絶対に！」

アトラクションはもうすぐ終わり。

『みんな、また会おうね。さようなら！』

出口の近くにいたリスの人形の声に送られて、コースターは乗り場にすべりでていく。

コースターがとまると、正面に見える入り口の前に、小さな人かげが立っていた。

人かげはレールの上に立ち、じっとこちらを見ている。

「なにあれ………？」

遊花は目をこらし、それから絶叫した。

「キャアアアアア!!」

小さな人かげは、帽子をかぶった女の子だった。

女の子に気づいた夢とリョーコも、大声で叫んだ。

逃げようとしてシートベルトをはずそうとするが、手が震えてなかなかはずせない。

「なんでいるの!?」

「まさか閉園だから……？」

「時間ぎれってこと!?」

真っ先にシートベルトをはずした遊花が、コースターから飛びだしていく。夢も飛びおりたが、リョーコだけコースターの車体につまずいてころんでしまった。

「ぎゃっ！」

見ると、リョーコの足が車体とコンクリートの間にはさまっている。

「足が………」

「リョーコ、大丈夫!?」

リョーコのそばにいた夢がかけ寄って、足が抜けるように車体に体重をかけて押した。

遊花はその様子を、少しはなれた場所からみつめていた。

心臓がドクドクと脈を打つ。

（私も助けなきゃ）

しかし、遊花の足は凍りついたように動かなかった。

三人で絶対に帰ろう。そう言ってふたりをはげましたばかりなのに。

視線を移すと、さっき入り口の近くにいたはずの女の子が、すぐそばにまで近づいている。

(やだ！　風船になるのなんてやだ！)

遊花はリョーコたちに背中をむけ、出口からアトラクションのなかへかけこんでいった。

ごめん、ごめん、ごめん、ごめん、ごめん、ごめん――。

心のなかであやまりつづける。

(でも私、風船になりたくない……死にたくない！)

このなかで赤い風船をみつけられれば、遊花は無事にパークからでられるはずだ。

(裏切ってごめん。夢、リョーコ――)

立ちどまった遊花は、あたりを見まわす。あっちもこっちも色とりどりの風船だらけで、目がくらむようだった。

そのなかに、ひときわ小さくていびつな、赤い風船があった。

しぼみかけているような、変な形をした風船だ。

「もしかして、あれ!?」

手をのばすと、遊花の指がひもの先端にとどいた。そこをつかんでひっぱり、風船をたぐりよせる。

「こ、こんなところに……………」

赤い風船を両手でつかんだ遊花は、ほっとして息をついた。

すると、そのとたんに思いだしたのだった。

「この風船、私、一度見た」

数時間前、バルーンコースターにのったときに、遊花はこの風船を見ていた。

この風船は、ほかの風船にまざって、ふわふわ浮かんでいた。

(まさか、だから私に…………?)

帽子の女の子は、このアトラクションのなかで赤い風船を見かけたひとがいると「赤い風船をみつけて」と声をかけてまわっているのかもしれない。

きっとあのカップルも、バルーンコースターにのったときに、このいびつな赤い風船を見かけたのだろう。

ふいに背中のうしろで、なにかの気配がした。

遊花が振りかえると、帽子をかぶった女の子が立っていた。

顔を少し下にむけ、人形のように動かない。

遊花はおそるおそる近づいていき、赤い風船がついたひもを差しだした。

「こ、これで……私、帰れるよね？」

女の子はまったく反応しない。

「ね？」

遊花が念を押すと、女の子が顔をあげた。

目もとは帽子のつばにかくれて、真っ黒だった。

見えるのは「いぃいぃいぃ」と言っているような口だけ。

少し開いた口には、ふつうでは考えられない数の乳歯が、ぎっしりと並んでいる。

そのとき、遊花の背後から手がのびてきて、赤い風船をぐっとつかんだ。

「……ひっ」

遊花が頬をひきつらせる。

すると、両側から怒りに満ちた声が、聞こえてきた。

「ひとりで帰るなんて！」

「許さない！」

夢とリョーコだった。

ふたりは髪を振りみだし、目に涙をためて、鬼のような顔をしていた。

遊花から赤い風船を奪うつもりのようだ。風船を強くつかんで、ひっぱろうとする。

ふたりの指は風船に食いこみ、ギリギリとつぶしていき、
パン!!

ついに大きな音をたてて、赤い風船は割れた。


遊花は息苦しさで目を覚ました。

「はぁ…………はぁ…………」

どのくらい気を失っていたのだろう。

「こ、ここ、どこ!?」

体がふわふわする。まるで地面に足がついていないみたいだ。

「い、息が………」

息ができない。酸素がたりない。

耳をすますと、誰かがしゃべっている声が聞こえてきた。

「あ、風船が三つ」

「どんどんのぼってく～」

「どこまで行くんだろう」

三つの風船は、ファンタジーパークの上空をするすると飛んでいく。

そのまま仲良く上昇していき、やがて見えなくなった。

エピローグ

これで百十二時間目の授業は終了です。
少女たちがファンタジーパークから帰ってくることはありませんでした。
姿を消してしまったのです。
でも、三人はきっと、ずっと仲良しでいつづけるのでしょうね。
高い高い空の上で。

ところでみなさんは知っていますか？
空に飛んでいった風船が、そのあとどうなるかを。
風船は、八千メートルほどの高さまでのぼっていくそうです。
そこは気圧が地上の三分の一ほどしかありません。そして温度は氷点下。
そこまでのぼった風船は、凍って破裂してしまうそう。

ということは、あの風船たちも…………。
みなさんも、テーマパークに行ったら気をつけてください。
夢中で楽しんでいるときほど、こんなワナが待ちうけています。
風船になりたくなければ、ご用心を。

113時間目
100回目の卒業式

プロローグ

こんにちは。
さあ、百十三時間目の
授業をはじめましょう。
体調がすぐれないひとは、
すぐに手をあげてくださいね。
みなさんは、「デジャヴ」を
知っていますか？
前にもまったく同じことを体験した気がする――――それがデジャヴ。
とてもふしぎな感覚ですが、経験したことがあるひとは多いはず。
たとえば、初めて来た場所なのに、前にも来たことがあるような気がしたり。

友だちと遊んでいる最中に、「この場面は知ってる。このあと友だちがころぶ」と思ったら、そのとおりになったり。

ただの錯覚の場合もあります。

でももしかしたら、なにかのシグナルの場合もあるかも………。

今回は、そのデジャヴを経験した少女の話です。

少女のデジャヴは錯覚なのか、それともなにかのシグナルなのか。

その目でたしかめてみてください。

教室の黒板に、大きな文字で「卒業おめでとう」と書かれている。

三月二十日。繰山毎美にとって、今日は中学校生活最後の日だ。

教壇にいる担任教師が言った。

「みんな、卒業おめでとう。高校に行っても、たまには顔を見せにこいよ」

毎美はおとなしくて目立たない女の子だった。

丸顔だし、前髪をまゆ毛より上に切りそろえていて、年よりも子どもっぽく見える。制服のセーラー服も、くずさずにきちんと着るタイプだった。

（もう中学校には来ないだろうな。来たって、先生は私のことなんて覚えてないかもしれないし……）

ぼんやりとそんなことを考えているうちに、最後のホームルームが終わった。

毎美は、仲のいいクラスメイトのエミリと紗英を追いかけるように、卒業証書の入った筒を持って教室をでた。

のんびりしている毎美は、こういうとき、いつも少しでおくれてしまう。

「もう今日で最後か～」

前を歩くエミリがさびしそうに言った。

「いいクラスだったよね」

「ね！　みんな仲良くてさ」

と、紗英がにっこりうなずく。

毎美はふたりのおしゃべりを聞きながら、ぼうっとろうかを歩いていた。

(最後って言われても、なんだか実感ないなあ………)

すると、エミリが振りかえった。

「でも、毎美はまだやるべきことが残ってるよね～♡」

毎美がギクッとして立ちどまる。

エミリと紗英は、意味ありげなニヤニヤ笑いを浮かべた。

「わ……私はいいよぉ。ムリムリ」

両手を顔の前でぶんぶんと振る。

毎美は、頬が赤く染まっていくのが、自分でもわかった。

「ほら！　唯人くん、来たよ」

エミリが毎美の腕をひっぱった。

（ほんとだ！　唯人くんがこっちに……）

となりのクラスの仁江唯人が、友だちとおしゃべりしながら、ろうかをこちらにむかって歩いてくる。

（唯人くん、かっこいいな）

唯人は人気のある男子のひとりだった。

学ランは、ボタンをはずして前を開け、着くずしている。そんなところもすてきだ。

少しはねた髪も、明るい笑顔も、毎美にとってはまぶしすぎて、近づきがたい。だから一度も話をしたことがなかった。

「行ってきなよ。最後だよ？」

とささやく紗英に、毎美は耳まで真っ赤にして、手をぶんぶんと横に振った。

「ムリ……」

「第二ボタン、もらってこい」

エミリがそう言い、思いきり毎美の背中を両手で押した。

「ちょっ……!!」

毎美はよろけながら、唯人に近づいていく。

中学に入ってすぐにひと目ぼれをして、それからただ毎日見ているだけの三年間だった。

いまこそ、あこがれの唯人に話しかけるチャンス――。

ところが、毎美の足がぴたっととまった。

(あれ？　こんなことが、前にもあったような気がする……)

ろうかの真ん中で、毎美は首をかしげて考えこんだ。

(いやいや、そんなわけない。中学の卒業式なんて初めてだって)

こういう現象のことを、「デジャヴ」と呼ぶらしい。もしかしたら、前に似たような夢でも見たのだろうか。

そこまで考えると、毎美は苦笑いした。

（ってバカみたい…………）

「唯人ー。帰ろうぜー」

男子の声ではっと我にかえる。

毎美がのんびりデジャヴについて考えている間に、唯人はクラスメイトに呼ばれて歩いていってしまった。

「あ…………」

声もかけられずに立ちすくむ毎美のうしろで、エミリと紗英はやれやれと肩を落とす。

毎美もがっくりうなだれる。

（本当にこれで終わり）

そんな毎美を、エミリと紗英はなぐさめた。

「まあ、しょうがないよ！」

「高校に行ったら、もっとかっこいい男子いるって！」

「…………うん」

毎美は力なく、こくりとうなずいた。

（みんなともお別れ。私の中学時代って…………）

なにもない中学時代だった。

勉強も部活もそれほどがんばらなかったし、趣味もなかった。

毎美が中学校ですごした三年間は、なにも起こらない三年間だった。

（さよなら、私の中学時代…………）


つぎの日の朝。

いつものように、毎美は母親の声で目を覚ました。

「毎美ー。起きなさーい」

ベッドのなかでもぞもぞ寝がえりをうち、眠い目をこする。

「今日、卒業式でしょー。遅れるわよー」

ダイニングのある一階から、母親のイラついた声が聞こえてきた。

「…………うん」

ぼんやりと返事をしてベッドからはいでる。

寝ぼけまなこで顔を洗い、あくびをしながらセーラー服に着替え、襟もとのリボンをなおしたところで、はたと手をとめた。

(あれ？　昨日もお母さんに起こされたような)

同じ時間に、同じように起こされ、同じようにベッドからでたような気がする。

しかし、そんな奇妙なことが起こるはずがない。

「気のせいかな」

毎美はそうつぶやき、登校する準備をした。

今日は中学校生活最後の日。

ホームルームが終わると、毎美はエミリ、紗英といっしょに教室をでた。

前を歩くエミリが、くるっと振りかえって言う。

「毎美はまだやるべきことが残ってるよね～♡」

「わ……私はいいよぉ。ムリムリ」

毎美はギクッとして立ちどまり、顔を真っ赤に染め、手をぶんぶんと横に振った。

意味ありげな笑みを浮かべるエミリと紗英をみつめているとき、毎美ははっと気づいた。

（…………ん？　なんかこれも、前にあったような…………）

毎美の記憶がたしかなら、このあと唯人がろうかのむこうから歩いてくる。

それからエミリに「第二ボタン、もらってこい」と背中を押されるが、毎美はなにも言えずにチャンスを逃してしまうのだ。

「第二ボタン、もらってこい」

エミリが毎美の背中を思いきり押した。

（やっぱり同じ！）

毎美があたふたしている間に、

「唯人ー。帰ろうぜー」

と男子の声が聞こえてきて、唯人は歩いていってしまった。

「…………どういうこと？」

毎美は頬をひきつらせながら、しばらくろうかに立ちつくした。

「毎美ー。起きなさーい」

毎美は聞きなれた声で目を覚まし、もぞもぞとベッドのなかで寝がえりを打った。

「今日、卒業式でしょー。遅れるわよー」

さすがに今回は、のんびりやの毎美も動揺した。

「えっ？」

ふとんをはねのけて、がばりと体を起こす。

「ちょっと待って。え？　え？」

枕もとのスマートフォンを見ると、画面に「3月20日」と表示されている。

あわてて階段をおりる。

そしてダイニングに飛びこむやいなや、チェックのエプロンをつけて朝食の準備をしていた母親にわめきたてた。

「お母さん、今日って何月何日!?」

「はあ？　どうしたの。まだ寝ぼけてる？」

「何月、何日!?」

「三月二十日だけど、それがどうしたの？　おかしな子ねえ………」

母親はため息をつくと、壁にかかっているデジタル時計を指さした。

表示されている日付は「3月20日」。

毎美はぼうぜんとした。

（私………卒業式の日をくりかえしてる!?）

そうとしか思えなかった。

覚えているだけでも、今日と同じ朝をむかえるのは三回目だ。もしかしたら、記憶にはないけれど、その前にもくりかえしていたのかもしれない。

毎美は顔を洗ってセーラー服に着替え、朝ごはんを食べて登校した。


「毎美はまだやるべきことが残ってるよね～♡」

学校のろうかで、前を歩くエミリが振りかえってそう言う。

エミリと紗英は、意味ありげなニヤニヤ笑いを浮かべていた。

毎美はもうおどろかなかったが、かわりに途方に暮れてしまった。

「う、うん……」

なぜこんなことが起きているのだろう。

(デジャヴなんてもんじゃない。これ、ループってやつ？　どうしてこんな……)

「ほら！　唯人くん、来たよ」

エミリが毎美の腕をひっぱった。

視線を移すと、あこがれの唯人がこちらにむかって歩いてくるのが見えた。

この場面を目にするのは三回目だが、それでもやっぱり唯人はかっこよかった。

変に気どっていないのに、唯人のいるあたりだけ、ぱっとはなやいで見える。

唯人の笑顔をじっとみつめながら、毎美はふと思った。

(もしかして、あんまりな私に、神さまがチャンスをくれたのかも)

見ているだけでなにもできなかった毎美のために、神さまが時間を巻きもどしてくれたのだとしたら、これを生かさない手はない。

「唯人ー。帰ろうぜー」

唯人のクラスメイトの声が聞こえてきた。

なにもしなかった前の二回は、ここで唯人が歩き去ってしまった。

もし勇気をだして毎美が声をかけたら、どうなるだろう。

(三回もなにもできないままじゃ……………)

毎美は勇気をだすことにした。

立ち去ってしまう唯人を追いかけて、ろうかの角をまがる。

するとそこには、さっきのクラスメイトの男子と唯人のほかに、髪をふたつに結んだ女子が立っていた。

「カノジョと帰りたいか、唯人は」

クラスメイトがそう言うと、唯人がやさしげな口調でこたえる。

「いや、こいつ部活だし」

髪を結んだ女子がくすくす笑う。よく見れば、上履きに青いラインが入っている。

(二年生だ………)

しかもその女子は、学ランのボタンを手に持っていた。

(あれ、唯人くんの第二ボタン………)

毎美ののどがひきつれた。泣きだしそうになるのを、ぐっとおさえる。

同じ時間を三回もくりかえして、やっと勇気をだせたのに。

（………カノジョがいたの？）

毎美は、卒業証書の入った筒をにぎりしめ、とぼとぼと家に帰った。

部屋に入ると、どすんとベッドに倒れこむ。

「なにが、神様がくれたチャンスだよ。バカ！」

そうつぶやくと、とたんに涙があふれてきた。

告白しようなんて調子にのって、バカみたいだ。

「こんなの、知りたくなかった………」

なにもかもムダだった。

なにもかもイヤ。

いっそ、消えてしまいたかった。

「毎美ー。起きなさーい」

母親の声で目を覚ます。

「今日、卒業式でしょー。遅れるわよー」

毎美はのそのそと体を起こした。

けれど、なにもやる気が起きない。

学校に行ったところで、唯人にカノジョがいることを知って、また落ちこむだけだ。

(こんな毎日をくりかえすなんて、地獄すぎる。なんの意味があって…………)

毎美は、ハンガーにかかっているセーラー服をみやった。

(卒業式なんて……卒業式なんて…………)

「さぼってやる!!」

毎美はその日、制服は着たものの登校はせずに、駅前のカラオケボックスに行った。

「さ、さぼっちゃった」

中学生活の三年間、毎美は一日も休んだことがない。だからいままでくりかえしてきた卒業式では皆勤賞をもらったが、今回はもうどうでもいい。

毎美は、四人用の部屋のなかにひとりで座り、がしっとマイクをにぎった。

「人生、初さぼり！」

いきおいづいて、テーブルにあるリモコンを操作する。

とても悪い子になったような気分だった。

いままでずっとまじめにすごしてきた毎美は、こういうことに慣れていない。だからふと不安になってしまい、手をとめる。

（明日、もしループしてなかったら、卒業式をさぼることになるんだよね？　それってただのさぼり魔だよね………）

毎美はふっきるように、首を横に振った。さぼり魔になったとしても、かまわない。

「もう、いいもん。どうにでもなれ!!」

やけくそだ。

毎美は好きな歌をどんどんいれて、気がすむまで歌いまくった。


「毎美ー。起きなさーい」

目が覚めた。

「今日、卒業式でしょー。遅れるわよー」

またこの朝だ。何度目だろう。しばらく卒業式には行っていない。

毎美は起きあがって、げんなりした顔をする。

(………遊んでやる)

朝ごはんを食べて制服に着替えると、そのまま駅前のカラオケボックスに行く。

(遊びまくってやる!!)

ひとしきり歌った毎美は、ドリンクバーに行こうと部屋をでた。

すると、チャラそうなふたり組の若い男が声をかけてきた。

「あれ? きみ、中学生?」

と、背の高い金髪の男が、毎美をのぞきこむ。

「俺たちと歌わねー?」

と、ミリタリー柄のパーカを着た男が、シャンシャンとタンバリンを鳴らした。

(高校生!?)

背格好からして、きっと高校生だろう。

毎美はおびえてあとずさりながら、

「いや……………大丈夫です」

とこたえ、そそくさと部屋に戻った。


「毎美ー。起きなさーい。今日、卒業式でしょー。遅れるわよー」

また同じ朝がやってきた。

体を起こした毎美は、昨日の出来事を思いだす。

(びっくりした。あれ、ナンパだったのかな?)

これまでのループのなかで、何度も卒業式をさぼってカラオケボックスに行ったが、いままで高校生にナンパされたことなんてなかった。

いつもひとりで歌って、満足すると帰ってきたのだ。

「初めてだ、あんなの…………」

くりかえしている三月二十日は、同じようでいて少しずつちがっている。

その日も毎美は、カラオケボックスに行った。

ドリンクバーには、昨日の高校生たちがいた。

(今日もいる………)

毎美がおどろいて目をしばたたかせていると、ふたりが近づいてくる。

「あれ？　きみ、中学生？」

「俺たちと歌わねー？」

(また同じだ)

だまって立ちすくむ毎美に、金髪の男が言った。

「つーか、こっちチラチラ見てたじゃん」

たしかに見ていたが、今日もまた同じふたりがいたことにおどろいたからだ。べつに誘っていたわけじゃない。

毎美は、値踏みするようにふたりを見あげた。

どうせまた、明日も同じ日がくりかえされるのだ。

(いやになったら逃げればいい)

そう思い、こたえた。

「一曲だけなら」

「マジでいいの？」

今度は金髪男のほうがおどろいていた。まさか中学生がナンパにひっかかるとは、思っていなかったようだ。

「はい。いいですよ」

「じゃあ、俺たちの部屋、来なよ。そこだから」

「はい」

毎美はカップに入れたオレンジジュースを持って、男たちの部屋に行った。

そこで一曲歌って、また自分がいた部屋に戻ったのだった。

（けっこう楽しかったなあ）

そう思いながら、毎美はオレンジジュースをすすった。

（一曲なんて言わないで、もっと歌えばよかった……）

「毎美ー。起きなさーい。今日、卒業式でしょー。遅れるわよー」

同じ一日がはじまった。

毎美は制服を着てカラオケボックスに行き、男子高校生に声をかけられ、ついていく。

そして、一番得意な歌を一曲歌った。

「毎美ちゃん、かたいよ〜」

「キンチョーしてる？」

金髪男とタンバリン男に心配されて、毎美は少しむきになった。

「…………緊張してません」

「そう？　もうちょっと歌っていきなよ」

毎美は少し考えたあとにこたえた。

「うん。そうする」

結局、その日は三十分も高校生たちと歌ってから、自分がいた部屋に戻った。

「毎美ー。起きなさーい。今日、卒業式でしょー。遅れるわよー」

三月二十日がまたやってきた。もう何度目かわからない。

ナンパされることにも慣れてしまった。

金髪男とタンバリン男の部屋に行き、得意な歌を歌う。

「毎美ちゃん、歌いなれてるね」

「歌うめ～。歌手になれんじゃん？」

毎美の歌う歌はどれも上手で、ふたりはほめちぎった。

（そりゃそうだよ。だってどの歌も何十回と歌ってるんだもん）

レパートリーのなかには、百点をだした歌だってある。

（私、このまま本当に歌手になれたりしてね。卒業式なんて行かなくて正解！）

マイクをにぎりしめた毎美は、スッキリとした気分だった。


「毎美ー。起きなさーい。今日、卒業式でしょー。遅れるわよー」

母親の声が聞こえ、毎美はがばっと起きあがった。

「さーて、今日も歌うか！」

金髪男とタンバリン男がナンパしてくると、毎美はにっこり笑ってこたえた。

「いいよ！　いっしょに歌おうよ！」

毎美があまりにもノリノリなので、金髪男は少しおどろいていた。

「毎美ちゃん、ノリいいね」

「そう？　だって楽しいんだもん」

マイク片手にそうこたえると、タンバリン男が疑わしそうに目を細める。

「本当に初対面？」

「初対面だよ。私、高校生の知り合いなんていないし」

半分うそで、半分本当だ。

毎美は何十回もふたりと会ったが、ふたりが毎美に会ったのはこれが最初のはず。

(このひとたち、いつもお料理とかスイーツのお金払ってくれるし、便利なんだよね)

そのたびに、毎美は好きなものをオーダーしていた。

ある日はパスタ、ある日はフライドポテト、ある日はパフェ。

「いつもありがとね！」

毎美がマイク越しにそう言うと、ふたりはきょとんとふしぎそうな顔をした。

それから何回かのループのあと、ついに毎美は、自分からふたりをナンパした。

(どうせいつもいっしょに歌うんだし、私が誘っても同じじゃん?)

そう思い、ドリンクバーの前でふたりを待ちかまえる。

「こんにちは。お兄さんたち、いっしょに歌いませんか?」

毎美が首をかしげてにっこり笑うと、金髪男とタンバリン男が一瞬たじろぐ。

「ダメですか?」

男子高校生ふたりは、ひきつった笑みを浮かべた。

「いやー。中学生に逆ナンされるなんて初めてだから、ちょっとびっくりしちゃって」

「お兄さんたちの部屋、そこでしょ?」

ふたりがこたえる前に、毎美は勝手にドアを開けて部屋に入っていった。

そして、ソファにどかっと座って、脚を組む。まるで女王さまのようだった。

「……毎美ちゃん、何者?」

「ふつうの中学生だよ。お兄さんたち、なんか歌ってよ」

「………お、おう」

ぎこちなく歌う高校生たちを、毎美はふんぞりかえってながめた。

(今日って、さぼって何か月だっけ。このひとたちと遊ぶのもあきたな………)

バッグから買ったばかりの桜色のマニキュアをとりだす。高校生たちの歌をバックに、毎美は優雅にマニキュアを塗りはじめた。

「めちゃくちゃ上手に塗れてない？　かわいい。私、すごいじゃん」

毎美は桜色に染まった爪をみつめて、そうつぶやいた。せっかくかわいいのだから、誰かに見てもらいたい。

(ひさしぶりに、卒業式に行ってみようかな)

明日目が覚めたら、カラオケではなくて学校に行こうと、毎美はきめた。

いつもと同じ朝がはじまり、毎美はセーラー服を着て登校した。

桜色のマニキュアはそのままだった。この数か月で「学校でもOKなメイク」のやり方も覚えたので、透明マスカラでまつ毛をあげて、リップグロスもつけた。

ホームルームが終わると、毎美とエミリ、紗英は教室をでた。

「もう今日で最後か～。いいクラスだったよね」

エミリがさびしそうにそう言うと、紗英が笑ってうなずいた。

「ね！　みんな仲良くてさ」

すると、エミリがくるっと振りかえった。

「でも、毎美はまだやるべきことが残ってるよね～♡」

毎美は、よゆうたっぷりに微笑んでこたえた。

「そうだね。行ってくるよ」

エミリと紗英が、ぱちぱちと目をしばたたかせる。

「え？　毎美？」

(まあ、おどろくのも無理ないか)

ふたりが知っている昨日までの毎美は、おとなしくて目立たない女の子だ。それが突然、卒業式の今日だけ強気になったのだから、おどろいて当然だった。

上機嫌の毎美は、鼻歌を歌いながら、スキップでもしそうないきおいで歩き、ろうかの角をまがる。

唯人とクラスメイトの男子、それから二年生のカノジョがそこにいた。

「カノジョと帰りたいか、唯人は」

と、クラスメイトが言うと、唯人がやさしげな口調でこたえた。

「いや、こいつ――」

「唯人くん」

毎美は、堂々と会話に割りこんでいった。

ろうかにいた三人が、さっと振りかえって、毎美に視線をそそいだ。

「ちょっといい？　話があるの」

毎美は背筋をのばして立ち、ぱっちりと目を見開き、上目づかいで唯人をみつめた。

かわいらしく見える角度や表情も、この数か月で覚えたのだ。

唯人はおどろいたようだった。

「え…………と、繰山さん？」

たどたどしく毎美の苗字を口にする。

（わあ！　私の名前、知っててくれたんだ！）

そのことがうれしくて、毎美はますます機嫌がよくなった。

唯人の横にいるカノジョが、おどおどと毎美に問いかける。

「あ、あの、なにか用ですか……」

毎美はぐっとその子に近づき、笑顔で言った。

「唯人くんに用があるの。どっか行ってくれる？」

カノジョが「ひっ」と体をすくめ、唯人とクラスメイトの男子はあぜんとした。

毎美は氷のような微笑みを浮かべ、唯人にたしかめた。

「いっしょに来てくれるよね？」

「……あ……うん」

すっかり圧倒されてしまった唯人は、言われるがままについていく。

毎美は、人気のない階段の踊り場に、唯人をつれていった。

「話ってなに？」

唯人はひたすら戸惑っているようだった。

事態がまるでわかっていなくて、目が泳いでいる。

（……なんか、なつかしい。唯人くんって、こんな子どもっぽかったっけ？）

そう思うのは、いままでさんざん高校生たちと遊んできたせいだ。

金髪男とタンバリン男にくらべたら、唯人はお子さまのように感じてしまう。

しかし、そんな唯人も、いまの毎美にとっては新鮮だった。

（かわいいかも…………）

唯人の学ランの第二ボタンがはずれている。あの二年生の彼女が持っていったのだ。

（第二ボタンなんて、もうどうでもいい。私がほしいのは…………）

「ふふふ…………唯人くん…………」

毎美はうれしそうに微笑むと、ガシッと唯人に抱きついた。

おどろいた唯人は、毎美の肩をつかんでひきはがす。

「な、なんだよ、いきなり！　はぁ？」

「なにびっくりしてるの。ハグなんて初めてじゃないでしょ？」

だってカノジョがいるのに。

毎美はあやうくそう言いそうになった。

「………ちょっと待てよ」

顔をこわばらせた唯人が、一歩あとずさる。

「本当に繰山さん？　いつもすみっこで本読んでた」

毎美はふきだした。

「ぷっ………あはははは！　いつの話してんの？　ウケる！」

そして、じりじりと唯人に迫っていく。

（どうせ明日になればリセットされるんだ。やりたいことやらなきゃ損でしょ!!）

「ずっと好きだったの!!　わかるでしょ!?」

毎美はまた唯人に抱きついた。

さっきよりも強く、しっかりと。

「き………きもいっ！　なんなんだよ、あんた!!」

唯人が身をよじってもがき、毎美をつきとばす。

「いったーい………」

床に倒れた毎美を見て、唯人が逃げだした。
毎美は素早くはねおき、階段をかけおりようとする唯人を追いかける。
(…………やっぱり神様がくれたチャンスかも。いまやっと気持ちを伝えられた)
逃がすもんか。
毎美ののばした手が、もう少しで唯人にとどく、そのときだった。
「あっ!!」
唯人が足をすべらせた。
ドドドドドド――――。
ものすごい音をたてて、唯人が階段を落ちていく。
ゴツッ。
下まで落ちた唯人の頭から、いやな音がした。
やがてそこから血が流れだし、床にどんどんひろがっていった。
腕も脚も折れたのか、ありえない方向にまがっている。
毎美は横たわる唯人をしばらく見おろしていたが、その体がもう動くことはなかった。

（しくじった!!）

毎美はため息をついた。まさか唯人が階段を落ちるとは思っていなかったのだ。

いつまでもここにいてもしかたがない。毎美は踵をかえした。

（明日こそは、うまくやらなきゃ!!）

明日になれば、また同じ三月二十日がはじまる。

それは卒業式の日で、毎美はエミリと紗英とろうかを歩いて、唯人に会いに行く。唯人が生きている一日がはじまるのだ。

明日こそは――。

その日も毎美は、母親の声で起こされた。

顔を洗って制服に着替え、ダイニングに行く。

「おはよう」

母親が、朝ごはんの準備をしていた。

「あら。早いわね、毎美」

毎美は上の空だった。頭のなかで、今日の計画を考えていたからだ。

（さて、どうやって唯人くんに告ろうかな…………）

テーブルについた毎美に、母親が言った。

「あら。なんであんた制服着てんのよ」

毎美はゆっくりと母親のほうへ顔をむけた。

「え？」

「卒業式、昨日したでしょ。もう、ぼんやりしてるわね」

「…………はい？」

まばたきもできずに、毎美はその場にかたまっていた。

母親は時計を見て「あら、パパを起こさなきゃ」と二階にあがっていく。

毎美の心臓がバクバクとうるさく鳴った。

「卒業式が…………昨日…………？」

宙をみつめたまま、毎美はつぶやく。

「じゃあ、今日は？」

テレビから、朝の音声が聞こえてきた。

『つぎのニュースです。昨日、日の出区第三中学の校舎で、血まみれの生徒が倒れているのが発見されました。警察は、防犯カメラに映っていた女子生徒の行方を追っています』

テレビに防犯カメラの映像が映っていた。

それはまさしく、毎美の姿だった。


それからしばらくたったころ。

窓に鉄格子がはめられた部屋に、ひとりの女の子が座っていた。

女の子は毛布を頭からかぶって、ぶつぶつひとりごとを言っている。

部屋の様子を確認しにきた職員が、なかをのぞいて立ち去っていく。

そして、ろうかのすみでほかの職員とおしゃべりをはじめた。

「聞いた？　例の十五歳の女の子」

「聞いたわよ」

「この部屋、もううんざりだって、でたいって叫んでるんですってね」

「食事もあきたって、うるさくて…………」

「へえ。変ねえ」

「今日ここに来たばかりなのにねぇ…………」

エピローグ

これで百十三時間目の授業を終わります。

みなさんも、「同じ日をもう一度やりなおしたい」と思ったことがあるのでは？

やりなおしができたら、はずかしい失敗をしてもとりけせます。

同じテストを受ければ、つぎはいい点がとれるはずです。

主人公の少女は、平凡な毎日を送ってきました。

少女の数少ない願いのうちのひとつは、「好きなひとに気持ちを伝える」こと。

ラッキーなことに、そのチャンスがめぐってきました。

そして、その願いがかなったとき、ループしていた時間から抜けだしました。

ただし、一日だけでしたけれど。

よりにもよって、大変なあやまちを犯してしまった日だけが、リセットされないなんて、本当にお気の毒………。

みなさんも、もしデジャヴを感じたら、気をつけてくださいね。

それはもしかしたら、怪異のはじまりかもしれません。

絶叫学級

ぜっきょうがっきゅう

114時間目
ランドセルの中の友人

プロローグ

こんにちは。
今日は恐怖の授業には
ぴったりの陽気ですね。
それでは、百十四時間目を
はじめましょう。

春になると見かけるのが、
ピカピカの新一年生。
新しいランドセルを背負って歩く姿は、とてもかわいいですよね。
ランドセルは、色もデザインもさまざま。
使いやすいポケットがついていたり、肩ベルトの形が背負いやすく作ってあったりと、

いろいろな工夫がこらされています。
でも、今回の主人公が使っているランドセルは、ボロボロです。
古いし、ところどころ汚れがしみついています。
デザインもパッとしません。
持ち主の少女は、なぜこんなランドセルを使っているのでしょうね？
気になるひとは、ページをめくってみてください。

内木あかりは小学校一年生。

まだ入学したばかりなのに、赤いランドセルはボロボロだった。

帰りの会の時間に、席から教室を見わたすと、みんなのランドセルがまぶしく思えてくる。

(ピンク、オレンジ、水色、チョコ色。楽しそうな色でいっぱい………)

みんなのランドセルはとてもカラフルだ。

(私のランドセルだけ、ボロボロだなあ)

小柄なあかりはしゅんと身をちぢめ、ますます小さくなった。

「プリントはお家のひとに見せること。それではさようなら」

教壇の先生がそう言った。

担任はやさしい女の先生で、ひっこみじあんなあかりにとっては安心だった。

チャイムが鳴って、みんながガタガタと席を立つ。

「四十五万円!?」

そんな声が聞こえて、あかりはそちらに顔をむけた。

少しはなれた席の女の子たちが、おしゃべりをしている。

中心にいるのは、髪をポニーテールにした花倉蘭子だった。

「うん。おじいちゃんが買ってくれたの」

蘭子のランドセルは、フタの部分に豪華なバラ模様のステッチがほどこされていた。留め具も白いベルトをとおすようなデザインで、見るからにとても高そうだ。

「やっぱ新品っていいよねえ♪」

蘭子は得意げにランドセルをなでた。

それにくらべて、あかりのランドセルはひどい。

形も古いし、もちろん模様やおしゃれなベルトもついていない。あちこちが汚れて傷がつき、金具はさびている。

（だってこれ、ハトコの陽子お姉さんのおさがりなんだもん………）

中学生になった陽子は、あかりが小学校に入る前に、あかりの家に遊びにきた。

ボロボロの赤いランドセルを持って。

『どうしてもあかりちゃんに使ってほしいんだ。きっと小学校が楽しくなるよ』

陽子は、あかりが臆病で友だちを作るのが苦手なことを、心配してくれたのだろう。

そう言ってランドセルをくれたが、あかりの学校生活はちっとも楽しくなっていない。

むしろこのランドセルのせいで、ひどい目にあってばかりだ。

「なあ、あいつのランドセル、ボロくね？」

教室のすみで、大黒虎雄と青井竜がウワサをしている。

「ほんとだ～。壊れそうじゃね？」

すると蘭子も

「かわいそ～。汚い」

といっしょになってくすくす笑いだした。

あかりは、涙がこぼれそうになるのを、必死にこらえた。

（陽子お姉さんのうそつき。学校、ちっとも楽しくないよ）

みんなが教室からでていくと、あかりはポケットからハンカチをとりだす。

「ボロくないもん。汚くないもん……………」

おさがりのランドセルをごしごしふくが、汚れはしみついていてとれなかった。

教室にはもう誰も残っていない。

「ひとりぼっちは、やだよ……………」

あかりはそうつぶやいて、ランドセルをぎゅっと抱きしめた。


つぎの日。

一時間目の授業がはじまった。

「算数セットは持ってきたかな？」

先生がそう言うと、みんなはいっせいに「はーい」と返事をする。

あかりの顔が、さっと青ざめた。

（忘れた！）

算数セットは、家の机の上だ。

朝起きたときは覚えていたのに、家をでるときにはすっかり忘れていた。

(………どうしよう)

クラスのみんなが、算数セットの箱を開けている。おはじきや数え棒のカチャカチャ鳴る音が、あちこちからひびいてきた。

(どうしよう………どうしよう………)

手のひらが汗でじっとりしてきた。

すると、机の横にかけておいた赤いランドセルから、カチャンと音が聞こえてきた。

(ん?)

あかりは音が気になり、ランドセルを開けてみた。

なかには、忘れたはずの算数セットがきちんと入っている。

「あれ? 持ってきたっけ?」

びっくりして、あかりが口をぽかんと開けていると、先生に声をかけられた。

「内木さん、だせましたか?」

「あ、はい」

あかりはあわててランドセルから算数セットをとりだし、箱を開けた。

それからしばらくたち、あかりたち一年生の宿題も、量が増えてきた。

「ただいまー」

あかりが帰ると、キッチンにいた母親が言った。

「おかえりー。宿題やっちゃいなさーい」

遊ぶのは宿題が終わってから。それが内木家の方針だった。

「はぁい…………」

あかりは、やる気のない返事をして、自分の部屋にとぼとぼ入っていった。

ランドセルを机の横におき、椅子に座って、計算ドリルをひろげる。

「めんどくさいなぁ。なんでこんなのあるんだろ」

あかりは、はーっとため息をついた。ページをめくって鉛筆を持ち、問題をとこうとしたところで、手をぴたりととめた。

「え!?」

これからやるはずの宿題のページに、もうこたえが書いてあったのだ。

「なんで宿題、やってあるの………」

見まちがいかと思って、もう一度よく見てみたが、やはりそのページの全部の問題にこたえが書いてあった。

「私、やってないよ、なんで?」

あかりは思わず立ちあがり、きょろきょろと部屋を見まわした。

ふと、赤いランドセルに目がとまった。

しゃがんでフタを開け、のぞいてみる。

そのなかはなぜか、底なし穴のように真っ暗だった。

「えっ?」

さらにランドセルに顔を近づけると、暗闇のなかに、ふたつの光がぼんやりと現れた。

光は、まるでふたつの目のように、じいっとあかりをみつめている。

「………!?」

あかりはとっさにランドセルを放りだし、尻もちをついた。

そっとランドセルに近づき、もう一度なかをのぞいてみる。

するとそこには、学校から持ち帰った教科書やノートが入っていた。底なし穴のように真っ暗ではないし、ふたつの目もない。

「え……いま……」

見まちがいだったのかもしれない。

こわくなったあかりは、リビングで宿題をすることにした。


つぎの日の朝、あかりはおそるおそるランドセルのなかを確認した。

とくにおかしなところはない。あかりはほっとして荷物をつめ、学校に行った。

四時間目は算数の授業だった。

授業中に黒板の数字を見ていたら、あかりは昨日のことを思いだした。

(昨日のは、なんだったんだろう。絶対、誰かなかにいたよね。目、合ったもん)

ランドセルのなかは暗闇で、ふたつの目が光っていた。でもつぎの瞬間には、いつものランドセルに戻っていたのだ。

「この問題、わかるひとー。ちょっとむずかしいかな」

先生が大きな声で言った。

黒板には、長い計算問題が書いてある。

4＋5＋7＋8＋3＋3－1－6－9＝

教科書にも、同じ問題が書いてあった。

「わかったら、手をあげてねー」

みんなはカリカリと鉛筆の音をたてて、必死に計算している。

あかりも計算をはじめようと、教科書をよく見たところで、はっと息をのんだ。

こたえは　14

計算問題の下に、手書きの文字でそう書いてあったのだ。

(なんで!?)

まぼろしかと思い、何度かまばたきをしてみたが、文字は消えていない。

(もしかして、誰かが私を助けてくれてるの……?)

そう思い、机の横にかけてある赤いランドセルをみつめた。

「わかるひと、誰かいないかなー?」

先生が声をかけたが、誰も手をあげない。まだ誰も計算が終わっていないのだ。

あかりはごくりとつばを飲みこみ、遠慮がちに手をあげた。

自分から手をあげるのは初めてだった。緊張して心臓がドキドキする。

「はいっ、内木さん!」

先生に指されたあかりは、小さな声でこたえた。

「じ……じゅうよん……?」

先生がぱっと笑顔になる。

「正解! すごいわ。むずかしい問題なのに」

クラスのみんながあかりのほうを見て、パチパチと拍手をした。

「お〜」

「すごいね、内木さん」

あかりは、照れくさくて顔を赤くしながらうつむいた。

そんなあかりを、蘭子が憎らしそうににらんでいた。


算数の授業が終わり、あかりはランドセルをかかえて、校舎の奥の階段に行った。ここはあまりひとが来ない場所だった。

あかりは階段に座り、ひざの上にランドセルをのせた。

そして、ふたを開けて、からっぽのランドセルに話しかける。

「あなたは誰なの？　いままでのもぜんぶ、あなたが助けてくれたんでしょ？」

返事はない。

あかりはキュロットのポケットに手をいれて、キャンディをとりだす。今朝、こっそり家から持ってきたのだ。

それをランドセルのなかに、ぽいっと放りこんだ。

「これ、お礼だよ。ありがとう。ランドセルの精さん」

そのときだった。階段の下から虎雄と竜がかけのぼってきて騒ぎだした。

「学校におかし持ってきていいのかよぉ～」

「俺ら、見てたんだぞ！」

「さっき、ポケットからキャンディだしただろ？」

あかりはおびえてランドセルのふたを閉め、だまったまま首を横に振った。

「先生ーっ！　内木さんがおかし食べてまーす！」

虎雄が叫ぶと、担任の先生があわててやってきた。ふたりがあまりに騒ぐので、先生も困ってしまっているようだった。

「本当なの？」

と、先生にみつめられたあかりは、返事をせずに、ランドセルをぎゅっと抱きしめる。

竜が、あかりの赤いランドセルを指さした。

「ほんとーでーす。ランドセルにかくしてました～」

先生はため息をつき、あかりからランドセルをとりあげた。

「ちょっと開けるわね」

「あ………」

キャンディが入っているのがバレたら、先生に叱られてしまうだろう。虎雄と竜に言いふらされて、みんなにいじめられるかもしれない。

(どうしよう………!!)

あかりは泣きだしそうになりながら、ランドセルにむかって手をのばした。

ところが、先生がランドセルのなかからとりだしたのは、絵が描かれた画用紙だった。

ペロッと舌をだした女の子が真ん中にいて、そのまわりにキャンディがたくさんちりばめられた絵だ。女の子もキャンディも、色鉛筆できれいに塗られている。

絵を見た虎雄と竜は、ぽかんと口を開けた。

「な、なんで!?」

「さっきキャンディ入れてたのに………」

ちょうどどろうかをとおりかかった上級生が、絵を見て「わー、見て。あの絵」「かわいい～」と口々に言う。

先生は、ほっとした表情で微笑んだ。

「ごめんなさいね。上手な絵ね」

そして、画用紙をあかりに差しだす。

あかりはにっこり笑って受けとった。

(やっぱり私を助けてくれたんだね。ランドセルの精さん、ありがとう)

その様子を、蘭子とそのとりまきふたりが、少しはなれた場所からみつめていた。

「ねえ。あのランドセル、変じゃない？」

と、腕組みした蘭子がにらむ。

「変だよね」

「ボロボロだし、気持ち悪い」

三人は顔を見あわせて、こそこそないしょ話をした。


その日の下校時のことだった。

あかりが校舎前の階段をおりようとすると、うしろから虎雄の声が聞こえてきた。

「どけどけーっ」

あかりが振りかえろうとしたとき、

「どけーっ、ボロ子！」

虎雄はそう言って、あかりのランドセルにベチャッと泥を塗りつけ、走り去った。あかりには、なにが起きたのか、ちっともわからなかった。

「えっ、なに？」

びっくりして立ちすくむ。

その目の前で、突然、虎雄が足をすべらせた。

「あーっ！」

虎雄は叫びながら、階段をころげおちていく。

そして一番下まで落ちると「痛い……………痛い…………」とすすり泣きはじめた。

近くにいた子どもたちが騒ぎだす。

「キャーッ!!」

「一年生が落ちてきたっ！」

「誰か、先生呼んできて！」

あかりは階段の上で、息をするのも忘れて立っていた。

すると、蘭子がかけ寄ってきて、あかりを指さす。

「いま、内木さんのランドセルから手がでて、大黒くんを押したよ!!」

思いもよらないことを言われ、あかりの足が震えだした。

（そんなこと、あるわけないよ………）

あかりが見まわすと、まわりにいた子どもたちが、こちらをみつめている。

「え？　手がでてくるって、なにそれ」

「あの子のランドセルが？」

「そういえば、あのランドセル汚れてるしキモくない？」

みんなの疑いの視線がつきささる。

たえられなくなったあかりは、走ってその場から逃げだした。

その夜、あかりは部屋に閉じこもって、ランドセルのふたを開け、話しかけた。

「そんなことしてないよね？　ね？」

もちろん、返事なんてない。

ランドセルのなかは、このあいだのように真っ暗にもなっていない。

目のようなふたつの光も現れない。

「大黒くんを押したりなんてしないよね？　ランドセルの精さん………」

いくら話しかけても、なんの気配も感じられなかった。

あかりはふと思いたち、陽子に電話してみることにした。

リビングに行って子機をとり、陽子の家の番号をプッシュする。何度か呼びだし音が聞こえたあと、陽子は電話にでた。

「もしもし。あかりです」

『あ。あかりちゃん？　ひさしぶり。学校はどう？　楽しんでる？』

「あのね、陽子お姉さん。ランドセルのことなんだけど………」

すると、陽子は少しためらったあとに、話しだした。

『そのランドセルはね、私もひとからもらったものなの。正体はわからないんだけど、聞いた話では――――』

陽子の話はこうだった。

昔、おとなしくてひっこみじあんな、小学校一年生の女の子がいた。

その子はクラスで、ひどいいじめにあってしまった。教室にいると、みんなに悪口を言われたり、髪をひっぱられたり、つねられたりしてしまう。

だから、つかまらないように、いろいろな場所にかくれることにした。

女子トイレ、掃除用具を入れるロッカーのなか、体育倉庫にあるとび箱のなか、備品室にある段ボール箱のなか――――。

『その子、そのうち行方不明になっちゃって。その子のランドセルのなかからみつかったんだって』

陽子の説明が、あかりにはピンとこなかった。

「ランドセルのなかって、どういうこと?」

『うん………』

陽子は言葉をきったあと、静かな声で言った。

『その子はいまでも、友だちがほしいのかもしれないよ。じゃあね、あかりちゃん』

電話はそこできれてしまった。

あかりは不安な気持ちのまま、子機をおいた。


つぎの日、あかりが登校すると、教室の前で蘭子たちが腕組みをして待ちかまえていた。

「おはよう、内木さん」

あかりはビクッと身をすくめる。

「……………お、おはよう」

「ちょっと来てくれない？」

蘭子とともりまき、それから竜たち男子が、ニヤニヤ笑いながらあかりを見ている。

あかりは、小さな声で聞いた。

「……………どこに？」

「いいから、来てよ」

あかりはだまって蘭子たちについていった。

つれていかれたのは、校舎の裏にあるゴミすて場。

「そのランドセル、おろして」

おびえきったあかりは、言われるがままにランドセルをおろして地面においた。それを竜がつかみ、ゴミすて場に投げこむ。

「あっ………!!」

あかりは小さな悲鳴をあげて、飛んでいくランドセルに手をのばす。

けれどあかりの手はとどかず、赤いランドセルは、山づみになったゴミ袋のなかにドサッと落ちた。

竜がひと仕事を終えたように、パンパンと手をはたく。

「虎雄さー、大けがしてしばらく入院だってさ。どうしてくれんだよ」

ほかのみんなも、「虎雄くんかわいそうだよね」とか「どうするつもりだよ」とか、口をそろえてあかりを責めた。

腕組みをした蘭子が、まゆをつりあげる。

「学校のみんなが、そのランドセルのことがこわいって言ってるの。不吉なランドセルは、すてたほうがいいでしょ？　だから内木さんも協力してよね」

あかりは声もだせずに、ただガタガタと震えていた。

竜が意地悪く笑う。

「これで虎雄のカタキはとれた。みんな行こうぜ」

蘭子たちは、あかりを残して去っていった。

あかりはぼうぜんとして、ゴミすて場に投げすてられたランドセルをみつめた。

（………不吉なランドセルなの？）

だとしたら、このますてしまったほうがいいのかもしれない。

あかりが戸惑っていると、蘭子の声がした。

「みんな、甘いよ」

振りかえると、さっき行ってしまったと思った蘭子が立っていた。

「は、花倉さん？」

「せっかくウワサを流したのに。すてるだけじゃなくて燃やさなきゃ、意味ないじゃん」

「……ウワサを、流した？」

蘭子がニヤリと笑った。

「まさか、大黒くんを押したっていう話はうそなの？」

蘭子はうそをついたのだった。

本当は、ランドセルから手なんてでてこなかったのだ。

「内木さんが調子にのってるから悪いんだよ。注目されるのは、そのランドセルのおかげなのに」

「……注目なんて、されてない」

「されてたよ、算数の授業中に、むずかしい問題にこたえてたでしょ。ろうかで先生に絵を見せたりもしてたじゃない」

蘭子が右手を前にだす。

そこには、使いすてライターがにぎられていた。

「だから、それ、なくしたいの」

蘭子がライターのレバーを押すと、カチッと音がして、炎があがった。

ランドセルを燃やすために、蘭子はわざわざ戻ってきたのだ。
そんなことをさせるわけにはいかなかった。
「ダメっ……！」
あかりは蘭子からライターを奪おうと、必死にとびかかった。
（この子は、ひどいことしてなかった……）
ぜんぶ蘭子がついたうそだ。
赤いランドセルは、虎雄のことをケガさせたりなんてしなかったのだ。
（私と友だちになってくれたのに。こわがって、疑っちゃった……）
家に忘れてきた算数セットを、持ってきてくれたのに。
宿題をかわりにやってくれたのに。
問題のこたえを教えてくれたのに。
かわいい絵を描いて、キャンディをかくしてくれたのに。
ずっとあかりのことを助けてくれたのに。
あかりに飛びかかられた蘭子は、ライターの火をつきつけて叫んだ。

「あんたから燃やしてやる!!」

蘭子が火をあかりの顔に近づけた、そのときだった。

どこからか、青黒い腕がのびてきて、ライターを持つ蘭子の腕をつかんだ。

「は!?」

蘭子が目をぎょろつかせて、腕がでてきた方向を見る。

太い腕は、ランドセルのなかからのびていた。

「えっ………え!?」

ランドセルのなかは底なし穴のように真っ暗だった。

その暗闇から腕が生え、暗闇の奥には目のようなふたつの光が光っている。

光は、前にあかりが見たときとはちがっていた。

怒ったように、カッと見開いている。

「う、うそ………」

ランドセルからのびる腕は、蘭子の腕を思いきりひっぱった。

蘭子の目に涙が浮かぶ。

「やめ…………いやだっ!!」

ズルズルズルズル――――。

蘭子の腕が、そして頭が、ランドセルのなかにひきずりこまれていった。

「意味わかんない、意味わかんない!!」

錯乱した蘭子が、泣きさけんで暴れる。

しかしランドセルは、暴れる蘭子の体を飲みこんでいった。

ズルズルズルズル――――。

「きゃあああああああ!!」

絶叫とともに、蘭子の体はランドセルのなかに消えた。

あたりがしんと静まった。

地面にコロンとライターが落ちる。

フタの開いた赤いランドセルは、なにごともなかったかのように、ゴミ袋の上にたたずんでいる。

あかりはランドセルにかけ寄り、ぎゅっと抱きしめた。

(助けてくれて、ありがとう……………)

心のなかで、そう強く思いながら。


数時間後、蘭子は校庭のすみで、体をまるめた状態でみつかった。

その姿勢はまるで、ずっとせまい場所に閉じこめられていたかのようだった。

蘭子は小刻みに震え、うわごとをつぶやいていた。

「暗いのやだ……せまいのやだ……暗いのやだ……………」

自分の名前も言えなくなってしまった蘭子は、そのあとしばらく、病院に入院することになった。

夏休みに入る前に、あかりは別の小学校に転校した。

すると、あかりの性格は、前よりずっと明るくなった。

よく笑うようになり、気の合う友だちもたくさんできた。

新しい学校には、赤くてボロボロのランドセルをばかにするひとはいなかった。

朝、登校すると、誰かがかならずあかりに声をかける。

「おはよう、あかりちゃん」

「あかりちゃん、おはー！」

あかりも元気にあいさつをかえす。

「おはよう」

そしていつものように席について、ランドセルのふたを開ける。

なかには、ふたつ折りにされた画用紙が一枚入っていた。

あかりは画用紙をみつめて微笑むと、またきれいにたたみなおし、丁寧にランドセルのポケットにしまった。

その様子をじっと見ていたとなりの席の女の子が、あかりに聞いた。

「それ、いつも入ってるけど、なんなの？」

あかりは明るい笑顔でこたえた。

「友だちがくれた絵なんだ」

画用紙には、ふたりの女の子が手をつないでいる絵が描いてあった。

ひとりはあかりに似ていて、もうひとりは誰なのかわからない。

でも、ふたりとも幸せそうにニコニコと笑っていた。

女の子たちの絵の下には、こう書いてある。

だいすき
あかりちゃん

（私も大好きだよ。ランドセルの精さん…………）

ランドセルのなかにいるのが誰なのか、あかりにはわからない。

だけど、あかりはその子のことを親友だと思っている。
あかりはこれから六年間の小学校生活が、楽しみで仕方がなかった。

エピローグ

百十四時間目の授業はいかがでしたか。
ふしぎな力を持つ、赤いランドセル。
それはめぐりめぐって、少女のもとにやってきました。
「友だちがほしい」と思う気持ちが、呼びよせたのかもしれません。
もしかしたらそのランドセルは、似たような少女のもとを転々としてきたのかも。
たしかなことは、誰にもわかりません。
ランドセルのなかにいるのは、いったい何者なのでしょうね。
そのこたえも、誰にもわかりません。
ただわかるのは、悪いことが起きるときはいつでも、誰かの悪意が原因だということ。
嫉妬、憎しみ、怒り、恨み。

そういったものが、「悪いこと」を呼びよせてしまうのです。
みなさんも、たまにはカバンのなかをよーく見てみてくださいね。
もしかしたら、ステキな出会いが待っているかも……。
それでは、次回の絶叫学級でまたお会いしましょう！

ようこそ
絶叫学級へ
皆さんを
もう1つの
授業へお連れ
しましょう
絶叫学級
課外授業「イートマン」
RMC『絶叫学級 転生』⑭巻 授業61
夜ふけに
TV通話を
楽しむ少女達
話がはずんで
いるようですね

友達の背後に見えた黒い影…
果たして彼女達が迎える結末とは…
くす
続きはどうぞこちらで

この作品は、集英社よりコミックスとして刊行された『絶叫学級 転生』2、3、5、7巻をもとに、ノベライズしたものです。

集英社みらい文庫

絶叫学級（ぜっきょうがっきゅう）

赤い断末魔 編（あかいだんまつま へん）

いしかわえみ　原作・絵

はのまきみ　著

ファンレターのあて先
〒101-8050　東京都千代田区一ツ橋2-5-10　集英社みらい文庫編集部
いただいたお便りは編集部から先生におわたしいたします。

2021年 6月30日　第1刷発行

発行者　北畠輝幸
発行所　株式会社 集英社
〒101-8050　東京都千代田区一ツ橋2-5-10
電話　編集部 03-3230-6246
読者係 03-3230-6080
販売部 03-3230-6393（書店専用）
http://miraibunko.jp
装丁　小松昇（Rise Design Room）　中島由佳理
印刷　凸版印刷株式会社
製本　凸版印刷株式会社

★この作品はフィクションです。実在の人物・団体・事件などにはいっさい関係ありません。
ISBN978-4-08-321655-8　C8293　N.D.C.913　170P　18cm

おしえて！ みんなの好きな「絶叫学級」のカバー!! 結果発表!!

キミが選んだカバーはランクインしているかな!?

順位	票数	タイトル
第1位	185票	黄泉の誕生編
第2位	79票	見えない侵入者編
第3位	76票	悪夢の花園編
第4位	68票	還り道のない旅編
第5位	60票	繰りかえすコドモタチ編

※2021年2/26～5/31実施、総投票数1467。 たくさんの投票をありがとうございました!!

『絶叫学級転生』14巻！

《課外授業》で紹介した「イートマン」が読めるよ★

RMCりぼんマスコットコミックス

「みらい文庫」読者のみなさんへ

言葉を学ぶ、感性を磨く、創造力を育む……、読書は「人間力」を高めるために欠かせません。
たった一枚のページをめくる向こう側に、未知の世界、ドキドキのみらいが無限に広がっている。
これこそが「本」だけが持っているパワーです。

学校の朝の読書に、休み時間に、放課後に……。いつでも、どこでも、すぐに続きを読みたくなるような、魅力に溢れる本をたくさん揃えていきたい。読書がくれる、心がきらきらしたり胸がきゅんとする瞬間を体験してほしい、楽しんでほしい。みらいの日本、そして世界を担うみなさんが、やがて大人になった時、「読書の魅力を初めて知った本」「自分のおこづかいで初めて買った一冊」と思い出してくれるような作品を一所懸命、大切に創っていきたい。

そんないっぱいの想いを込めながら、作家の先生方と一緒に、私たちは素敵な本作りを続けていきます。「みらい文庫」は、無限の宇宙に浮かぶ星のように、夢をたたえ輝きながら、次々と新しく生まれ続けます。

本を持つ、その手の中に、ドキドキするみらい――。
本の宇宙から、自分だけの健やかな空想力を育て、〝みらいの星〟をたくさん見つけてください。
そして、大切なこと、大切な人をきちんと守る、強くて、やさしい大人になってくれることを心から願っています。

2011年　春

集英社みらい文庫編集部